Tonino Benacquista

Homo erectus

Gallimard

Après avoir exercé divers métiers qui ont servi de cadre à ses premiers romans, Tonino Benacquista construit une œuvre dont la notoriété croît sans cesse. Après les intrigues policières de *La maldonne des sleepings* et de *La commedia des ratés*, il écrit *Saga* qui reçoit le Grand Prix des lectrices de *Elle* en 1998, et *Quelqu'un d'autre*, Grand Prix RTL-*Lire* en 2002.

Scénariste pour la bande dessinée (*L'outremangeur, La boîte noire*, illustrés par Jacques Ferrandez), il écrit aussi pour le cinéma : il est coscénariste avec Jacques Audiard de *Sur mes lèvres* et de *De battre mon cœur s'est arrêté*, qui leur valent un César en 2002 et 2006.

À toutes les femmes de ma vie

1

Pour certains, il s'agissait d'un rendez-vous réservé aux hommes, où il était question de femmes. D'autres, en mal de solidarité, y voyaient le dernier refuge des grands blessés d'une guerre éternelle. Pour tous, d'où qu'ils viennent et quoi qu'ils aient vécu, c'était avant tout le lieu où raconter son histoire. Où la confier sans chercher à convaincre, sans souci de thérapie, sans rien espérer en retour sinon qu'elle fasse écho à celle d'un auditeur anonyme venu, lui, en quête de réponses. L'intervenant était seul juge du bien-fondé de son histoire et nombreuses étaient les raisons de la partager. Il pouvait vouloir s'en débarrasser une fois pour toutes, ou lui donner un faux air de conte et la métamorphoser en souvenir épique. Il pouvait aussi la livrer aux autres pour leur éviter de sombrer dans les mêmes tourments. À moins qu'il ne s'offrît, devant des tiers, l'occasion de revenir sur les multiples choix auxquels il avait été confronté, sur les destins auxquels il avait échappé. Et si sa mésaventure avait tourné au drame, en la décrivant il se consolait ici de n'avoir pas souffert en vain.

Les habitués taisaient l'existence même de ces séances ou, s'ils y étaient contraints, évoquaient de façon neutre leur *cercle du jeudi*. Loge, club, cénacle, fratrie, le fait que chacun puisse désigner cette assemblée par les termes de son choix évitait la tentation du rituel, ou le glissement vers la société secrète qui impose ses lois et ses exclusions. Cependant, on n'y tolérait que les individus sincères, dépourvus d'intentions malignes, les autres ne revenaient jamais, ou bien en cas d'urgence, car personne, sur ces questions-là, n'était à l'abri d'un coup du sort.

On ne trouvait aucune trace écrite de la confrérie et personne n'en connaissait les origines. Des poètes, des conteurs prétendaient qu'elle remontait à la nuit des temps, quand des hommes se réunissaient en forum pour tenter de cerner l'infinité de hasards qui présidaient à leur destinée. Quelques-uns affirmaient que la tradition était née du désespoir des Sabins, qui pleuraient leurs femmes enlevées par des Romains bien décidés à fonder leurs familles et leur Empire. D'autres soutenaient qu'elle nous venait d'Amérique du Nord, issue d'une antique coutume indienne où des guerriers chantaient leur joie ou leur détresse d'avoir rencontré, ou non, la mère de leurs enfants. Une autre théorie disait qu'elle avait été créée dans les reconstructions de l'après-guerre pour évoquer ce que les années sombres avaient suscité d'idylles, dans chacun des camps. Certains déclaraient enfin avoir assisté aux toutes premières séances, à Paris, à la fin des années 60, à l'heure où la révolution sexuelle et les mouvements sociaux encourageaient la création de toutes sortes de comités — quelques-uns, dont celui-ci, avaient survécu malgré l'absence de prosélytisme.

Aujourd'hui, les séances se tenaient le jeudi à dix-neuf heures, jours fériés compris, été comme hiver — il n'y avait ni saison ni trêve pour ce rendez-vous-là. Le nombre de participants variait peu, et là résidait un véritable mystère. Compte tenu de la diversité du public — ceux qui passaient, ceux qui disparaissaient après leur témoignage, ceux qui attendaient des mois avant de le livrer, ceux qui se voulaient des habitués, ceux qui réapparaissaient à date fixe — une curieuse loi d'équilibre semblait chercher, à quelques unités près, la centaine. Pour les mystiques, il s'agissait d'un nombre d'or, mais les plus pragmatiques n'y voyaient aucune explication rationnelle. Malgré l'absence de statuts, une autre loi semblait irrévocable : on ne s'y exprimait qu'une seule fois. Même en cas de prolongements inattendus, on ne revenait jamais sur un témoignage par respect pour l'auditoire. Et tant pis pour celui qui n'avait pas su traduire ce qu'il avait sur le cœur, un autre attendait son tour.

Si le jour du rendez-vous était invariable, le lieu changeait régulièrement : appartements vides et anonymes, salons privés de bistrots, caves à peine aménagées, théâtres et cinémas désaffectés, ruines vouées à la démolition. Quel que fût l'endroit où les hommes se retrouvaient, et malgré leur grande discrétion, ils finissaient toujours par attirer la suspicion des propriétaires, gérants, voisins, qui, sans rien comprendre à leurs réunions occultes, imaginaient des conspirations, des projets malsains, et les priaient de déguerpir. Chacun cherchait alors à suggérer des pistes, même les plus originales, et le plus souvent un nouveau lieu d'accueil était fixé.

En ce début de printemps, les séances se déroulaient vers la place de la Nation, dans les locaux préfabriqués d'un lycée technique ayant brûlé dix ans plus tôt. Avant que les salles d'appoint ne fussent rasées pour les reconstruire en dur, le conseiller d'orientation profitait de la tolérance de la directrice pour en prêter une. Quand elle lui avait demandé : *C'est quoi, comme genre de réunions ?* Il avait répondu : *C'est une association à but non lucratif qui a pour vocation de questionner son époque et ses mœurs.*

Ce jeudi-là, on vit apparaître de nouveaux visages. Un grand type brun, aux alentours de la quarantaine, s'était glissé dans le fond de la salle. Yves Lehaleur, vêtu d'un jean noir et d'un blouson de motard, prenait l'air dégagé de celui qui veut passer pour un simple visiteur — il avait préparé le terme au cas où on lui aurait posé une question, *Je suis un simple visiteur*, mais personne ne posait jamais de question, même par inadvertance. Se retrouver dans une salle de classe lui rappelait les rares examens qu'il avait subis — jadis, quelqu'un avait coché la case *vie active* dans son dossier scolaire, et ses parents, depuis toujours dans la vie active, n'avaient pas protesté. Avant de franchir cette porte, Yves avait dû mettre de côté une sorte de complexe héréditaire qui lui donnait le sentiment d'usurper sa place au milieu d'un groupe, a fortiori s'il était question de prendre la parole. L'ami qui lui avait appris l'existence de la confrérie l'avait rassuré sur ce point.

— Tant que tu ne perturbes pas le déroulement de la séance et que tu ne quittes pas la salle pendant que quelqu'un s'exprime, tu n'es tenu à rien.

Ce fut sans doute cet argument qui acheva de le convaincre. La colère qu'il portait en lui et le besoin de la dire firent le reste.

Un premier intervenant — de plus de soixante-dix ans, sans doute le doyen de l'assemblée — leva la main, n'en vit pas d'autre alentour, se dirigea vers la chaire du professeur, et se tint debout, près d'un fauteuil en skaï décharné d'où s'échappait une mousse jaunie. Il avait assisté aux trois séances précédentes avant de décider, ce soir, de se lancer.

Après plusieurs semaines de soins palliatifs à l'hôpital de Villejuif, sa femme venait de mourir dans ses bras. Il raconta l'événement comme s'il s'agissait d'une adolescence inversée, à cette époque de la vie où tout est une « première fois » : la première cigarette, la première lettre d'amour, le premier baiser. Dans cette chambre aseptisée, sa femme et lui venaient de vivre une douce et belle série de dernières fois, le dernier rire à deux, le dernier verre d'alcool, le dernier baiser. Il lui avait lu in extenso le roman d'un auteur qu'elle appréciait : le tout dernier livre de sa longue vie d'ardente lectrice.

— Elle est partie comme ça, dans un souffle, les yeux grands ouverts.

Puis il évoqua la suite de sa vie, car il y en aurait une. La fin de cette femme qu'il avait tant aimée ne serait pas la sienne, il l'avouait à demi-mot mais il l'avouait pourtant. Elle-même, dans son infinie tendresse, lui avait dit : *Ne reste pas seul*. Il avait répondu : *Arrête de dire des bêtises*, mais ce n'en était pas. Ce soir, la chose était formulée et devant cent témoins. Face à quelle assistance, sinon celle-ci, un vieil homme avait-il le droit de dire qu'il avait encore assez de vitalité pour tomber amoureux ? Prêt à vivre une toute nouvelle série de premières fois ?

Certains, persuadés qu'ils mourraient seuls comme ils avaient vécu, se sentaient peu concernés par son témoignage. D'autres n'excluaient pas, un jour, de se poser les mêmes questions que ce tout récent veuf. L'usage voulait que personne ne réagît après les interventions, c'était une règle tacite mais fondamentale pour tous ceux qui, comme Yves Lehaleur, craignaient la confrontation. Tout individu devait pouvoir s'exprimer sans redouter un contrepoint, une question, un commentaire, même bienveillant. Ni la détresse, ni la joie de ces hommes ne soulevait aucun débat. On avait entendu des silences si fervents, si riches ; toute banalité d'usage les aurait ruinés dans l'instant. Mais rien n'empê-chait un participant d'aller vers un autre en fin de séance pour lui dire un mot, revenir sur un détail, lui donner ou lui demander une précision. Il n'était pas rare de voir de petits groupes se former pour prolonger la réunion par une conversation de bistrot, mais ça ne concernait déjà plus la confrérie et se jouait en dehors.

D'autres se succédèrent sur l'estrade pendant un temps plus ou moins long. L'un d'eux raconta un coup de foudre survenu dans des circonstances très particulières : une semaine plus tôt, autour d'un container à verre, il avait rencontré une demoiselle qui jetait comme lui ses bouteilles vides.

— C'est une situation que l'on préfère sans témoins. Que l'on ait dans les mains un flacon de bénédictine ou un bocal de ratatouille, on se sent toujours un peu ridicule.

Mais cette fille-là s'acquittait de sa corvée avec le geste auguste d'une reine qui gracie des malheureux. Elle honorait chaque étiquette d'un dernier regard comme pour lui dire adieu, il s'agissait pourtant du même puligny-montrachet, un bourgogne blanc que l'orateur considérait comme le sien. Il se l'était approprié, il en avait fait son favori, son champion, à tel point qu'en le décrivant, il se décrivait lui-même ; un vin ni modeste ni prétentieux, élégant mais encore accessible, un vin qui n'avait besoin ni de tablée ni de cérémonie pour donner le meilleur de lui-même. Au contraire, ce vin-là ne s'exprimait jamais mieux que dans l'ivresse complice d'un rendez-vous galant. Et cette belle inconnue rencontrée au coin de la rue ne semblait boire que celui-là.

— Je n'étais pas au bout de mes surprises. C'est à la toute dernière bouteille qu'elle a porté l'estocade : du *Petrus Boonekamp*.

Un nom qui, à coup sûr, n'évoquerait rien aux personnes présentes, peu portées sur les liqueurs amères.

— C'est hollandais, c'est noir comme du fiel, ça en a le goût, j'en ai toujours chez moi.

Il n'avait encore rencontré personne avec qui partager son attirance pour cette épaisse bile que l'on dégustait comme un filet de méchanceté. Il avait bien essayé de convertir une poignée d'amis qui tous l'avaient recraché tel un jet d'encre. S'il n'avait pas osé réagir en voyant défiler les puligny-montrachet, il avait profité de l'apparition inespérée du Petrus Boonekamp pour adresser la parole à l'étourdissante jeune femme. Ils avaient discuté des mérites comparés de l'Unicum hongrois, du Jäger-meister allemand, du Fernet-Branca italien. Mais rien à leurs yeux n'égalait le Petrus Boonekamp. Les non-initiés, à savoir le reste du monde, n'étaient pas dignes d'un pareil élixir, ni de ses bienfaits, ni de ses ingrédients mystérieux, ni de sa recette jalousement gardée. Ils allèrent même plus loin : se confronter à tant d'amertume révélait leur intense vie intérieure.

À la fin de l'échange s'était installé un moment de gêne où chacun était redevenu un inconnu au bord d'un caniveau. Elle avait dit : *Pas un jus de fruits, pas une bouteille d'eau, que de l'alcool, j'ai honte*. Et comme si elle avait voulu confirmer qu'elle était célibataire : *Le pire, c'est que je ne partage pas*.

La laisser s'éloigner avait été une terrible imprudence. Depuis, il se sentait en faillite, honteux de n'avoir pas su retenir la seule femme que le destin lui eût jamais désignée.

— Si l'accord des êtres résulte de l'accord des esprits, alors j'ai rencontré la femme de ma vie.

Au fil des semaines, il l'attendait, l'espérait, la guettait même. À n'en pas douter elle vivait à un jet de pierre de chez lui, et le seul lien sur lequel il comptait désormais était ce container à verre. Il multipliait les occasions de s'y rendre tout en sachant que le hasard, comme la foudre, ne frapperait plus au même endroit, mais à proximité, chez un commerçant, dans une rue alentour, dans le plus proche jardin, et à l'heure la plus inattendue.

Dans l'assistance, ceux qui étaient tombés amoureux dans des circonstances insolites lui souhaitaient bonne chance en leur for intérieur. L'homme regagna sa place, un autre vint s'adosser au tableau noir ; il prit son élan avant de se lancer dans une histoire confuse, présentée sans chronologie, mêlant informations objectives et vues de l'esprit. Il se décrivait comme un être physiquement disgracieux, plutôt gauche et irascible — ce que ses auditeurs prirent pour la pause typique de celui qui veut produire l'effet inverse. Il se disait incapable d'éviter la fâcherie ou le rapport de force, principalement avec les femmes. Jusqu'à ce qu'il rencontre une certaine Nadine, sorte d'alter ego se définissant elle-même comme *vilaine et pas très cultivée*.

— Nous ne nous aimons pas, nous n'allons pas vieillir sous le même toit, mais ensemble nous sommes irrésistibles.

Il fit une comparaison avec deux composants chimiques, inoffensifs pris séparément mais détonants dès qu'on les mélangea. Pour ceux qui n'auraient pas compris, il rappela le principe mathématique qui établit que la réunion de deux négations donne une affirmation : *moins* et *moins* égale *plus*. Poussés par d'amers sentiments, quelques frustrations et une revanche à prendre, ils s'étaient associés, non pour se nourrir l'un de l'autre mais pour tout dévorer autour d'eux. N'étant pas condamnés au couple, n'ayant rien à bâtir, chacun restait lui-même sans craindre de dévoiler sa part d'ombre. Elle riait de ses colères, lui se fichait bien de sa mauvaise foi et, quand il leur arrivait de passer la nuit ensemble, ils trahissaient les secrets de leur propre sexe tout en dégoisant sur le sexe opposé. Mais là n'était pas leur terrain de jeu favori. Lâchés dans la nature, ils devenaient de redoutables prédateurs. En public, ils provoquaient, jouaient les débauchés et, si l'un d'eux se sentait attiré, l'autre lui indiquait la marche à suivre. Fascinées par le jeu étrange de ce couple extrême, leurs victimes, hommes et femmes, se laissaient volontiers piéger.

Yves Lehaleur étudiait les intervenants pour s'en inspirer le jour où il se sentirait prêt. Mais comment s'inspirer de cas aussi atypiques, dont la logique, même si elle méritait d'être exposée, ne semblait lisible que pour l'intéressé. À deux sièges du sien se tenait un autre nouveau venu, Denis Benitez, chef de rang dans une grande brasserie parisienne, célibataire comme tant d'autres, et sans doute un peu plus. Un soir où il s'était plaint de vivre seul, le maître d'hôtel de sa brigade avait évoqué à mots couverts le *cercle* qu'il fréquentait naguère, où se retrouvaient *des types qui avaient un truc à raconter*, que leur confession fût banale ou extravagante. Remarié depuis, il n'éprouvait plus le besoin d'y retourner mais gardait une certaine affection pour ceux qui passaient par là. Denis avait franchi le pas et s'apprêtait maintenant à prendre la parole sans peur du ridicule — à l'inverse d'un Yves Lehaleur, il n'éprouvait aucune gêne, après vingt années dans la brasserie, à s'adresser à des inconnus. Et Dieu sait si ce qu'il avait à dire était irrationnel et aurait pu paraître absurde, disproportionné, nombriliste, vaniteux ou terriblement naïf, et ce devant n'importe quelle assemblée. Excepté celle-ci.

— Si chacun doit ici raconter son histoire, je ne le ferai pas : je n'en ai pas. Je vis sans femme depuis de longues années, ce qui ne serait pas en soi exceptionnel si je n'avais réussi à en comprendre la raison qui, elle, l'est.

Denis avait vécu l'existence classique du jeune homme bien décidé à jouir de la vie avant de songer à fonder une famille. Maintes fois, il était tombé amoureux et avait attiré dans son lit des demoiselles dont il gardait de charmants souvenirs. Et puis, passé le cap des trente ans, quand il avait enfin aspiré à une relation durable, les femmes, elles, s'étaient mises à le fuir.

— Au début, j'ai tout mis sur le compte de mauvais hasards qui me poussaient vers des mariées, des fiancées, des engagées, des amoureuses, heureuses en amour et qui me le faisaient savoir. Par la suite, j'ai veillé à éviter ce genre d'obstacles mais d'autres ont surgi. Dès le premier rendez-vous, celle-ci m'annonce qu'elle ferait volontiers de moi l'ami qu'elle n'a jamais eu, celle-là me glisse son C.V. de barmaid, cette autre me fait comprendre qu'elle *ne veut pas d'une nouvelle histoire pour le moment.* La liste est longue.

Après de nombreuses tentatives, il avait réalisé combien la gamme des esquives était infinie, comme si le simple fait de proposer à une inconnue de la revoir était devenu la chose la moins naturelle du monde. Que s'était-il passé pour qu'elles se dérobent ainsi, qu'elles lui donnent un faux numéro ou laissent ses appels en souffrance ?

— Et Dieu sait si, en tant que serveur, j'ai les probabilités pour moi ! Je dirais, en moyenne, entre cinquante et quatre-vingts clientes par jour, seules ou en groupe, à qui je pose la question : *Qu'est-ce qui vous ferait plaisir ?*

Combien d'entre elles, depuis ses débuts, avait-il amusées d'un bon mot ou flattées d'une attention ? Combien de fois, en débarrassant les tables, avait-il trouvé des serviettes griffonnées comme autant de billets galants ? *Denis, vous êtes un sacré numéro et voici le mien*, ou encore : *Je reviens dîner mardi, et seule*, ou même : *What a waiter !* Il les montrait à l'ensemble de sa brigade puis les bazardait sans chercher à revoir leurs auteures, encombré par un semblant de déontologie. Avec le temps, son succès avait pâti sans raison, comme s'il avait perdu en présence et en charisme.

— On essaie alors de se persuader qu'il y a des périodes, des lieux, des occasions plus propices que d'autres à la rencontre. Je me suis laissé entraîner par les collègues dans des bars et des boîtes de nuit, persuadé que ces endroits-là étaient faits pour ça. Mais sans doute, le rôle du chasseur allait bien mieux à d'autres...

C'était précisément ce que pensait un petit bonhomme renfrogné, calé contre le radiateur du mauvais élève. Philippe Saint-Jean, comme Denis Benitez et Yves Lehaleur, assistait à sa première séance sans présager qu'il y en aurait une deuxième. Pour justifier sa présence ici, il s'était concocté de savants alibis et fut presque déçu que personne ne les lui demandât. Il aurait invoqué sa curiosité intellectuelle pour ces mystérieux conciliabules dont on avait eu vent dans son petit milieu de penseurs. Néanmoins il avait failli rebrousser chemin au seuil de la salle de peur de s'exposer aux regards : il était connu. Du moins le pensait-il en y ajoutant une touche de modestie : il était *relativement* connu.

Après un brillant parcours universitaire, il avait obtenu son doctorat de sociologie puis s'était aventuré dans la recherche ethnologique. On avait lu sa signature dans des revues confidentielles, puis dans des quotidiens nationaux, mais ce fut en publiant son premier ouvrage — *La mémoire-miroir, ou le rêve d'une conscience collective* — qu'il s'était taillé une belle place dans les sphères intellectuelles. Au regard de quantité de critiques élogieuses, il était mystérieusement passé du titre de sociologue au statut de *philosophe*. Qui plus est un philosophe lisible, compréhensible à une heure de grande écoute, ce qui lui valait des invitations régulières dans des émissions littéraires et des magazines d'information en quête de caution morale, ou d'une parole que le plus grand nombre se sentait apte à décrypter.

Pour l'heure, c'était l'intervention de Denis Benitez qu'il essayait de décrypter, comme qui sait lire dans le discours de ceux qui n'en possèdent pas. Philippe était épaté par la façon toute spontanée qu'avait ce type de présenter sa solitude comme le résultat d'une conspiration d'un clan adverse. Mais Denis n'en démordait pas, sincère, démuni, et pourtant très rigoureux sur les étapes de sa lente exclusion d'un universel désir féminin.

— Par la suite, j'ai misé sur mon entourage. Tabler sur l'idée simple que tout le monde avait une copine à caser, puisque j'étais, moi, son pendant masculin.

Denis avait donc rendu publics les errements de son célibat et sollicité ses amis, amusés à l'idée de créer un couple à partir de deux âmes esseulées. S'il n'avait oublié aucune des femmes croisées lors de ces dîners arrangés, il se souvenait surtout des courts moments de gêne où il se voyait rater son examen de passage avant même d'avoir goûté au dessert. Il avait eu droit à la divorcée qui, trois jours plus tôt, venait de *rencontrer quelqu'un*. À la secrétaire d'ambassade, en provenance du bout du monde, toute prête à y retourner *pour de bon*. Ou à l'assistante médicale que son ex venait de rappeler après un chagrin d'amour dont elle se remettait à peine.

En l'écoutant, Yves Lehaleur s'interrogeait lui aussi sur cette série de mauvaises coïncidences sans les remettre en question : il croyait à l'adversité. En revanche, Philippe Saint-Jean ne voyait là que les faux-fuyants d'une pensée manichéenne qui parfois virait à la misogynie. Fallait-il à ce point se projeter une image de La Femme pour imaginer une coalition de toutes ?

— Les mois qui ont suivi, j'ai reconsidéré mes critères de sélection. Je n'avais pas l'impression de me diriger vers un certain type de femmes, mais j'étais prêt à ouvrir plus encore le champ des possibles, sans distinction d'âge, de physique, de niveau culturel, de classe sociale ou de couleur de peau. En fait, *toutes* les femmes devenaient envisageables, absolument toutes, mais ça n'était pas encore assez.

Dans son état de manque, Denis s'était retourné sur chaque jupon qu'il croisait et ce réflexe ne l'avait plus quitté — une manière de multiplier par mille les occasions de se rendre malheureux. Pour Philippe Saint-Jean, pas besoin d'avoir lu les romantiques ni les comportementalistes, il s'agissait d'une simple question de bon sens : plus l'on désire et plus l'objet désiré s'éloigne, c'est la première leçon que prend l'adolescent qui se languit. L'erreur que commettait ce type au tableau noir était de chercher aux femmes une nature spécifique, de les réunir en un tout, de voir en elles, au mieux des symétriques, au pire des contraires. Philippe attendait donc que Denis cesse enfin de blâmer sa mauvaise fortune pour se remettre en question.

— Le problème venait de moi, je ne demandais qu'à l'admettre, mais quel était ce problème ? Avais-je à ce point changé physiquement passé la trentaine ?

Il avait veillé à s'entretenir, à surveiller sa ligne, sa forme, et rares étaient les jours où il n'avait pas couru, nagé ou fait le tour de Paris à vélo. De plus, il demandait au chef de la brasserie de lui préparer des plats sains, c'était même devenu un sujet de plaisanterie pour tout le personnel, *Denis et sa bouffe de nanas*, poissons, légumes, thé, et non par obsession diététique mais par goût. Il avait plutôt embelli avec les années et atteindrait son apogée à la cinquantaine.

— Étais-je devenu si ennuyeux qu'aucune femme n'était assez folle pour passer un soir, une nuit, ou une vie à mes côtés ?

Les rites de séduction avaient sans doute évolué sans qu'il y prît garde. Désormais, il n'y avait aucune honte à *se mettre sur le marché*, à se proposer comme un produit, un article, fiable et disponible. Ayant résumé l'essentiel de lui-même en quelques clics, il s'était inscrit sur des sites de rencontres, allant vers cette nouvelle communication qui lui paraissait misérable un an plus tôt. Sans rien dissimuler, sans s'inventer des qualités qu'il n'avait pas, il avait fini par rencontrer quelques candidates attirées par un profil si scrupuleusement défini.

Philippe Saint-Jean devina une autre série de fiascos ; si l'intéressé avait su les anticiper, il se serait épargné de grands moments de solitude.

— Et pourtant, elles avaient vu ma photo, elles

connaissaient ma profession, savaient combien je gagnais, si je croyais en Dieu, si j'avais envie ou non d'une *relation durable* : où pouvait-il y avoir de mauvaise surprise ?

Si Yves Lehaleur s'interrogeait toujours sur les raisons d'une pareille malédiction, Philippe Saint-Jean, au-delà du cas particulier, entrevoyait là le syndrome d'un désarroi masculin plus universel. C'était même le fonds de commerce d'un ou deux essayistes de son entourage : cynisme généralisé jusque dans le rapport amoureux, perte des repères de l'homme contemporain, légitime réappropriation par les femmes de leurs droits après des millénaires d'asservissement. Ce qui fascinait Philippe dans l'exposé de Denis Benitez était sa totale indécence à décrire son chemin de croix, en véritable figure christique déjà vouée à la crucifixion.

— Un soir j'ai eu le sentiment de toucher le fond en rappelant l'une après l'autre toutes mes ex.

Une initiative saugrenue, vouée à l'échec, à la limite de la mauvaise blague, et pourtant, il avait ressorti son vieux répertoire et saisi son téléphone pour n'épargner aucune des filles avec lesquelles il avait couché. Après tout, il s'était séparé en bons termes avec Véronique. Et Hélène avait sûrement oublié leurs engueulades. Mona lui avait sans doute pardonné. Nadège n'était peut-être pas mariée, ou bien s'ennuyait-elle depuis. Sans oublier quelques autres, plus éloignées dans le temps mais qui, avec un peu de chance, souffraient du même mal que lui. Dans l'attente d'un petit miracle, il avait bricolé une entrée en matière toute simple : *Salut c'est*

Denis, Denis Benitez, tu te souviens de moi ? dans l'espoir de conclure par : *Et si tu venais déjeuner un de ces jours dans ma brasserie ?* Hélas, aucune ne l'avait attendu, et certaines le lui avaient signifié avec ironie. Depuis ce triste rendez-vous avec ses amours perdues — et qui comptaient bien le rester — ses spéculations sur les femmes s'étaient brusquement chargées de colère et d'aigreur.

— Et puis arrive le moment où le doute vire à la démangeaison. On passe d'une certitude à une autre, tout et son contraire se valent, si bien qu'on finit par ne plus rien comprendre à son propre mode de fonctionnement. Un matin, j'avais la conviction d'être trop direct, trop cavalier. Je ne leur donnais pas le temps de créer le désir, comme si chacun de mes gestes, chacune de mes paroles cherchait à les précipiter vers un lit ou, pire, un registre de mairie. Je me posais alors la question : comment ne pas fuir un gars comme moi ? À l'inverse, le soir même, je me voyais en incurable indécis qui se perd dans les atermoiements d'une autre époque, alors que les femmes aiment les hommes entreprenants et volontaires. Je me posais à nouveau la question : comment ne pas fuir un gars comme moi ?

Dès le lendemain, un nouveau doute chassait le précédent et ainsi de suite jusqu'à ce que le découragement les efface tous. Voyant alors surgir le spectre de la résignation, Denis s'était décidé à demander de l'aide.

— Je suis allé consulter. Il fallait bien que quelqu'un m'aide à remettre les choses en perspective, et peut-être, me donne une clé.

Yves Lehaleur haussa les épaules au mot « consulter ». Tout ce qui commençait par le préfixe *psy* lui inspirait une méfiance instinctive. Selon lui, personne n'était plus doué qu'un autre pour lire dans l'âme de son voisin, tous ces gens-là n'étaient que des charlatans ayant compris que l'écoute, en ce bas monde, était une denrée rare qu'on pouvait facturer au bon prix. Quand il avait appris à son entourage son urgent besoin de divorcer, certains l'avaient incité à *en parler à un spécialiste* avant de prendre cette terrible décision. Yves les avait priés de se mêler de leurs affaires : si quelqu'un devait consulter, c'était sa garce de femme, pas lui.

De son côté, Philippe Saint-Jean reconnaissait un certain courage à Denis. Pour en avoir fait la démarche bien des années plus tôt, il savait la difficulté de sonner à la porte d'un praticien pour lui soumettre un dysfonctionnement. Dans son milieu, il s'agissait presque d'une étape obligée pour qui veut pénétrer les arcanes de la pensée humaine et ses sens cachés. Éviter la psychanalyse aurait relevé de la faute professionnelle. Aujourd'hui, il fréquentait bien plus d'individus passés par le divan que l'inverse.

— Il m'a patiemment écouté puis m'a proposé de m'aider à *remettre en marche les mécanismes de séduction*. Trois séances plus tard, je me suis surpris à évoquer un souvenir d'enfance, ce moment précis où j'ai compris que mes parents étaient faillibles après m'avoir… oublié chez des amis lors d'une soirée arrosée. Grâce à un bel effort de mémoire, j'ai raconté la scène comme si elle sortait d'un film d'épouvante : une mère bouleversée, un père bouffi de culpabilité qui promet de m'offrir une voiture miniature si j'arrête immédiatement de chialer. C'est en m'écoutant préciser au psy : *Je me souviens très bien du modèle ! Il s'agissait d'une Dinky Toys Facel Vega, la grise avec le hard top, sortie en 1960*, que je me suis demandé si j'empruntais là le bon chemin pour remettre en marche les mécanismes de séduction.

Denis chercha ses mots, laissant croire un instant qu'il en avait terminé. En fait, cette partie de son témoignage lui paraissait moins pertinente que sa conclusion ; il avait tu à un psychanalyste, à un ami, à un frère, ce qu'il allait livrer à cent inconnus comme s'il s'agissait d'une communication officielle.

— Après cinq années d'errance et de vexations, incapable de comprendre cette désertion du peuple des femmes, il m'a fallu affronter une explication que j'aurais préféré éviter : la thèse du complot. Aussi invraisemblable que ça puisse paraître, je suis celui qu'*elles* ont choisi pour assouvir une vengeance séculaire.

Un léger vent de stupeur courut dans les rangs ; ceux qui fréquentaient depuis longtemps les rendez-vous du jeudi avaient entendu toutes sortes d'élucubrations mais gardaient présent à l'esprit que tant d'autres étaient à venir. Le regard néophyte d'un Yves Lehaleur en croisa un autre qui l'était tout autant, celui de son plus proche voisin, Philippe Saint-Jean.

— Chaque fois que l'un de vous, messieurs, se rend coupable de sexisme, de discrimination, de muflerie, de harcèlement, de misogynie, de tyrannie domestique, de brutalité, c'est moi qui en subis les conséquences.

Elles ne se contentaient pas de l'ignorer, *elles* se vengeaient. Pour tout ce que les hommes leur avaient fait endurer depuis la nuit des temps, Denis payait, et seul. *Elles* s'étaient passé le mot pour lui rappeler qu'il avait plus besoin d'*elles* qu'*elles* n'avaient besoin de lui, et qu'il pouvait se carrer sa belle virilité où bon lui semblait.

— Sans doute ai-je été choisi pour vous l'annoncer, ce soir, afin de vous mettre en garde : vous serez les prochains.

Philippe Saint-Jean avait déjà diagnostiqué une forme subtile de paranoïa mais ne s'attendait pas à la théorie du martyr sacrifié sur l'autel de la masculinité déchue. Si cette confrérie proposait des prototypes comme celui-ci, il allait sans doute la fréquenter régulièrement. De son côté, Yves Lehaleur révisa son rejet de la psychanalyse si elle pouvait être utile à un Denis Benitez.

En retournant s'asseoir au dernier rang, il croisa le sourire discret de ses voisins, Yves Lehaleur et Philippe Saint-Jean, stupéfaits par sa prestation, admiratifs de son aplomb mais surtout de son imagination démesurée. D'un regard, ils lui disaient l'avoir entendu.

Yves fut tenté de grimper sur l'estrade afin de lui aussi vider son sac — si l'on admettait ici des gars comme Denis, il n'avait plus aucun complexe à raconter son histoire — mais l'heure avait tourné et il en serait quitte pour contenir sa colère une semaine de plus. Pour sa part, Philippe Saint-Jean avait besoin d'une nouvelle session avant de se faire un avis sur ce qu'il considérait désormais comme un phénomène de société. Il était curieux de cette thérapie de groupe sans thérapeute, cet étonnant bureau des pleurs masculins, cette occulte et mâle congrégation à laquelle on pouvait accéder sans rite d'intronisation, sans cooptation, sans enquête préalable. Il s'était présenté, prêt à dégainer son sens critique ou à colporter de savoureux sarcasmes auprès de son entourage. En fait, il venait de partager un rare moment de tolérance, échappant à toute grille de lecture, aux dogmes les plus fumeux. Ce qu'il ne savait pas encore, c'était la vraie raison de sa présence ici. Sa curiosité intellectuelle avait fait long feu et sa réelle motivation allait sans doute se déclarer un prochain jeudi soir. Philippe était habité par l'absence, et rien n'expliquait cette douleur, lui qui avait tant besoin de sens.

Avant de quitter la salle, confirmation fut donnée que la prochaine réunion se tiendrait au même endroit. Certains ne reviendraient pas. D'autres si. La vie d'ici là pouvait reprendre son cours.

2

Comme d'autres déshabillent les femmes d'un seul regard, Denis Benitez se livrait à un exercice bien plus présomptueux : arracher à toutes les passantes une vérité cachée. Ayant cessé d'exister à leurs yeux, ayant perdu toute matérialité, il s'était découvert un don d'invisibilité qui lui permettait de les frôler comme un fantôme, de les espionner, de leur voler leur secret.

En traversant un terre-plein qui borde la place de la Nation, il vit surgir une silhouette : *robe blanche à fleurs, un regard de mère de famille pour qui tout est allé trop vite.*

Une autre s'engouffrait dans un taxi : *blonde, la trentaine, léger strabisme désarmant, prête à crier son indépendance au visage du premier venu.*

Avec l'expérience, il parvenait à n'en épargner aucune sur son parcours, et ne tenait compte de leur âge, de leur physique ou de leur tenue que lorsqu'ils livraient un indice sérieux.

Une joggeuse en nage se reposait sur un banc :

yeux très noirs, un peu boulotte, une grande ten-
dresse que personne ne lui rend.

Dans son kiosque à journaux : *une adolescente*
de trente-cinq ans qui arbore ses seins comme des
décorations.

Ou celle-ci, en cuissardes et daim : *droite, lente,*
des cernes blasés, elle rêve plus de rire que de sexe.

La vendeuse qui fumait devant sa boutique : *hau-*
taine, racée, personne ne connaît le mode d'emploi,
pas même elle.

Cette fille qui grimpait sur son scooter : *mal*
fagotée, lunettes sévères, toute prête à s'éprendre
d'un homme comme s'il était le dernier.

Celle-ci, au côté d'un fiancé aussi arrogant
qu'elle : *très moderne, prête à jouer des coudes, elle*
dira plus tard à ses petits-enfants : si j'avais su.

On encore celle-ci : *enceinte, belle peau mate,*
elle sait à qui exprimer ses joies, mais pas ses
peurs.

Ou cette autre : *touriste du Nord, un mari qui*
marche loin devant, elle regrette de n'avoir pas
découvert Paris avec des copines.

Ou cette grande fille : *innocente, la trentaine,*
empruntée dans son corsage de dame, elle traîne
des complexes qui vont lui faire perdre vingt ans.

Son sevrage avait doté Denis d'une exceptionnelle
intuition masculine. Mais ce travail-là, obsédant,
dangereux, l'épuisait en pure perte et entretenait son
amertume. À près de dix-neuf heures, il hâta le pas
vers les grilles du lycée resté ouvert, retrouva la salle
de classe de la semaine précédente, salua du regard

Yves Lehaleur et Philippe Saint-Jean, au dernier rang.

Yves en avait assez vu la dernière fois pour se sentir en confiance : ce soir serait le bon. Il attendit que l'assistance se tût pour lever la main, puis se dirigea vers le tableau noir comme le bon élève qu'il n'avait pas eu le temps de devenir.

— Je vais sans doute bafouiller et me répéter, je m'en excuse par avance. Je vais commencer par vous parler de ma vie d'avant. Pour être précis, avant le 4 novembre dernier.

Compte tenu de l'entrée en matière, Philippe Saint-Jean redouta un récit interminable et laissa son regard se perdre dans la nuit qui tombait sur la cour de récréation.

— Cinq années durant, j'ai été un homme marié. Elle s'appelait Pauline et travaillait dans l'agence immobilière que dirigeait Alain, un ami d'enfance. Il me l'avait présentée parce qu'elle avait besoin de double-vitrage — c'est mon métier, je pose des fenêtres pour une grande marque — et j'étais allé chez elle pour un devis.

Cette Pauline, célibataire ? Un petit miracle qui ne durerait pas, à moins de prendre de vitesse ses autres soupirants. Leurs premières années de vie commune furent juste assez bohèmes pour se fabriquer de précieux souvenirs. Mais le labeur passait avant tout, parce qu'ils travaillaient dur tous les deux, pour voir leurs rêves aboutir. Décidés à fonder une famille — deux enfants, pas plus, mais pas moins — il leur fallait trouver un pavillon dans une banlieue tranquille, et ça, c'était le job de Pauline.

Afin d'obtenir un prêt, Yves apportait en caution auprès d'une banque les 87 000 € de son assurance-vie — ses économies depuis l'obtention de son CAP, ajoutées à un petit héritage anticipé de ses parents — et Pauline allait emprunter sur vingt ans l'équivalent du tiers de son salaire.

Yves n'épargnait à son auditoire aucuns détails, même financiers, a priori insignifiants, mais dont la charge symbolique l'avait fait souffrir jusqu'à en crever.

— Avec Pauline aux commandes, ça ne pouvait que bien se passer.

Petit bout de femme d'une énergie folle, toujours souriante, jamais elle ne donnait l'impression de s'atteler à la tâche à contrecœur, de traverser une période pénible. Tenir un foyer, se battre avec les institutions pour obtenir ce à quoi ils avaient droit, négocier auprès des banques et archiver chaque facturette de carte bleue, elle s'acquittait de tout sans en avoir l'air, et ça ne l'avait pas empêchée, en plus de ses heures de travail, de dénicher leur Xanadu. À Champigny, en bord de Marne, une bâtisse en pierre de taille refaite à neuf, un rez-de-chaussée d'un seul tenant avec une gigantesque cheminée, pas moins de quatre chambres à l'étage, un jardin isolé des regards, et le tout à moins de quinze minutes de la porte de Vincennes ; le bonheur avait une adresse.

— Nous avions rendez-vous pour une promesse de vente et le déménagement était programmé en janvier. Ensuite, il était prévu que Pauline arrête la pilule pour tomber enceinte.

Philippe Saint-Jean doutait de l'intérêt d'une telle abondance de détails. Son propre souci d'économie verbale abrégeait parfois sa faculté d'écoute. Il suivait pourtant avec intérêt un récit qui décrivait avec minutie des désirs si opposés aux siens. Depuis combien d'années n'avait-il pas croisé un homme dont le rêve était de fonder une famille en banlieue ? Dix ans ? Vingt ans ? En avait-il rencontré un seul ? Le rêve premier du plus grand nombre, celui qui constituait un pays et contribuait à la pérennité de ses valeurs : une famille et un toit. Sans fierté ni regrets, Philippe se savait être une exception ; inutile de compter sur lui pour contribuer à la survie de l'espèce ou pour participer à un effort national. Il n'était ni asocial, ni franc-tireur, ni même riche, et pourtant il se sentait si peu concerné par ce qui préoccupait ses concitoyens — inflation, logements sociaux ou grèves des transports — rien de tout cela n'affectait son mode de vie. Fonder une famille en banlieue ? Lui-même était issu de ce dessein-là, ses parents ne l'avaient pas remis en question, à l'époque ça n'était ni un choix ni un rêve mais une étape obligée. Aujourd'hui, Philippe vivait dans un trois-pièces au Quartier latin, au cœur de la mouvance intellectuelle parisienne, à deux pas de la Sorbonne et des éditeurs. Du haut de ses quarante et un ans, il n'aurait plus d'enfant désormais, il l'avait décrété ; la seule femme qui lui en avait donné envie avait disparu de sa vie comme s'il s'était réveillé trop tôt d'un délicieux rêve.

— Et tout aurait pu se dérouler ainsi s'il n'y avait eu la soirée du 4 novembre.

L'agence dirigée par Alain appartenant à la plus grosse société immobilière du pays, sa direction générale invitait, afin de fêter le bilan annuel, mille de ses employés choisis sur leurs performances. Pour la première fois, Alain, Pauline et leurs collègues allaient être récompensés.

— Ma femme m'a appelé vers une heure du matin pour me dire qu'elle passait la plus belle soirée de sa vie. Elle avait été félicitée pour ses résultats, on l'avait présentée au numéro deux de la société, et elle buvait du champagne sur une terrasse des Champs-Élysées. Bref, elle n'était pas pressée de rentrer. Je l'ai félicitée moi aussi et l'ai priée d'être prudente si elle avait bu. Elle m'a dit qu'elle suivait le mouvement de son groupe, ils allaient probablement prolonger la soirée dans une boîte de nuit, et je pouvais dormir tranquille, elle ne prendrait pas sa voiture. Sachant que mon copain Alain était dans les parages, je me suis endormi, rassuré, et fier de ma femme. À mon réveil, vers les neuf heures du matin, un SMS me disait : *Suis ivre morte. Je dors chez Fanny. À demain. Je t'aime.*

Elle était rentrée vers midi, les yeux mi-clos, le regard bouffi, combattant la plus grosse gueule de bois de sa vie, et s'était précipitée sur un tube d'aspirine, puis dans son lit, sans même un regard vers Yves. Il l'avait laissée dormir jusqu'au soir, où elle avait émergé pour prendre une douche et boire du thé, avant de retrouver l'usage de la parole et de raconter les grandes lignes de sa soirée ; la boîte de nuit, les vodkas tonic qu'on ne compte plus, jusqu'à ce qu'elle titube et que Fanny la ramène chez elle vers les cinq heures du matin.

— Je me souviens d'avoir trouvé tout cet épisode très « sain », reprit Yves. Que son travail de petit soldat soit reconnu, c'était sain, et qu'elle rencontre les grands patrons de sa société, aussi. Qu'elle fasse la fête, c'était sain, et sans moi, ça l'était plus encore. Qu'elle prenne une bonne cuite, une fois dans sa vie, c'était sain aussi.

Yves fournissait tous les détails qu'il avait stockés, ordonnés, questionnés, commentés, ruminés jusqu'à la nausée.

— Dès le lundi matin, la vie a repris son cours. Jusqu'à ce qu'Alain m'appelle en fin d'après-midi : *Yves, il faut que je te parle, mais pas au téléphone.*

Au bistrot du coin, Alain, une voix d'outre-tombe, s'était demandé s'il avait le droit ou non de faire ce qu'il allait faire. *J'adore Pauline, toi tu es mon meilleur ami, mais quoi qu'il arrive, je trahis l'un des deux.* Cette fameuse soirée du samedi avait si bien commencé. Pauline, dans sa belle robe du soir, un cocktail à la main, les Champs-Élysées qui scintillaient à ses pieds. Le grand manitou de la région Île-de-France lui avait dit : « C'est donc vous, la fameuse Pauline Lehaleur ? » Au départ des premiers invités, Fanny avait proposé une boîte très chic, rue de Ponthieu, à deux pas. Pour remercier à titre personnel son équipe, Alain avait décidé de régaler. Un endroit comme on n'en voyait que dans les films : de l'or, de l'argent, du satin rouge, une lumière parfaite, une musique à mettre le feu, du personnel qui semblait sortir des pages glacées d'un magazine, plusieurs pistes de danse, et surtout, une scène avec des *pole-dancers*.

— Des strip-teaseuses qui s'enroulent autour d'une barre, précisa Yves à cent hommes suspendus à son récit. Un show tous les quarts d'heure, les garçons en prennent plein la vue, les filles s'en amusent. Mais, à raison d'un show sur trois, on inverse : c'est un garçon qui se déshabille. Un *go-go dancer*. En moins d'une minute, il n'a plus qu'une serviette autour de la taille et il descend dans le public pour se trémousser entre les jambes de demoiselles qui poussent des cris hystériques.

Aucune fille de leur petit groupe n'y avait échappé, mais le danseur s'était attardé sur Pauline, à la fois surprise et amusée de voir un tel spécimen mâle agiter son corps d'athlète à dix centimètres de son visage. L'homme avait soigné sa prestation et, en bon professionnel, s'était éloigné vers d'autres clientes juste avant qu'une gêne ne s'installe. Pauline ne s'était pas donnée en spectacle, elle avait juste joué le jeu devant ses collègues et s'était défendue d'avoir eu un traitement spécial. Pour se remettre de ses émotions, elle avait bu d'un trait une énième vodka tonic, bien décidée à continuer la fête : il n'y aurait plus jamais de lendemain. Elle s'était mise à danser, grisée, comme pour se charger d'énergie et de lumière avant l'hiver, à en devenir incandescente elle-même. Et puis, surgi de nulle part, un jeune type habillé d'un jean élimé et d'une chemise blanche ouverte sur le torse avait attiré sur la piste le regard de toutes les femmes présentes.

Pauline n'avait pas reconnu tout de suite le go-go dancer dans sa tenue civile, redevenu client comme un autre, mais pas tout à fait. Il lui arrivait, pendant cette heure de pause, de nouer conversation, de glisser sa carte de visite, d'exposer ses prestations à domicile qui assuraient une partie de ses revenus : soirées de célibataires, enterrements de vie de jeune fille, ou fêtes d'anniversaire dont il était le cadeau vivant. Cette nuit-là cependant, il s'était contenté de danser, un verre à la main, et de façon bien moins ostensible que durant ses reptations de professionnel. Il avait échangé des sourires avec Pauline, puis quelques mots dans le brouhaha infernal. S'était engagée alors une autre conversation, muette, et bien plus sensuelle, au milieu de la piste.

Alain avait découvert une Pauline inconnue, cédant à sa frénésie, et si délicieusement. Fatigué de tant d'agitation, il lui avait proposé de la ramener, elle avait refusé tout net : *Je prendrai un taxi ! À lundi !* Alain avait rejoint sa voiture sans savoir quoi penser de ce spectacle-là. Avait-il vu une jeune femme profiter d'une soirée exceptionnelle, ou bien l'épouse de son meilleur ami, ivre morte, essayant de provoquer un semi-gigolo ? *Fallait-il que je la laisse là-bas ? Ou que j'y retourne pour garder un œil sur elle ? Que j'insiste pour la raccompagner ? Je ne savais plus quoi faire, Yves, je te supplie de me croire. D'un côté, je me disais qu'elle n'était plus responsable de ses actes, et que le lendemain elle me remercierait d'être intervenu. D'un autre, je me disais qu'après tout elle était adulte, et que rien de tout ça ne me regardait.*

Sur le ton de la rigolade, Yves lui avait lancé en début de soirée : *Je te la confie !* et maintenant ces quatre petits mots pesaient lourd sur sa conscience. Alain avait fait demi-tour, bien décidé à la convaincre, quitte à se montrer cassant, mais déjà il était trop tard : la voiture du go-go dancer venait de passer à sa hauteur, avec, sur le siège passager, Pauline qui augmentait le volume de l'autoradio.

Denis Benitez, pris, comme les autres, par le compte rendu d'Yves Lehaleur, avait trouvé ce qu'il était venu chercher dans cette confrérie. Sa propre histoire devenait anecdotique, et seule comptait pour l'heure celle de cet inconnu, aux antipodes de la sienne.

— Ainsi s'achevait le rapport de mon ami Alain, qui pourtant restait là, le coude sur le zinc, le regard défait, conscient d'avoir mis en péril notre amitié. *Si je m'étais écrasé, je n'aurais plus jamais pu te regarder en face.* Il insistait, mortifié : *Tu me pardonnes ?* Son besoin d'absolution paraissait si dérisoire en comparaison du choc que je venais de subir. Je me suis surpris à répondre : *Moi, te pardonner ? Si en vingt ans tu m'as donné une seule vraie preuve de ton amitié, c'est celle-ci. Tu as fait ce qu'il fallait, et pour ça je serai ton débiteur à vie.*

Avant de partir, Alain l'avait mis en garde contre les erreurs d'interprétation. Ce qu'il avait vu n'était peut-être pas aussi sinistre, et l'on pouvait imaginer d'autres dénouements à cet épisode, bien moins traumatisants. Mais étaient-ils seulement crédibles ?

— Je suis rentré chez moi — ce n'était déjà plus

tout à fait chez moi — et me suis servi un plein verre de whisky, que j'ai bu comme de l'eau fraîche en attendant Pauline. Mon film d'horreur a commencé là, avec cette image d'elle quittant le club dans la voiture de ce type, le film que je me suis passé en boucle pendant des mois et qui revient encore me hanter.

De toute l'assistance, Philippe Saint-Jean était sans doute le plus intrigué par la manière dont un type décrivait l'infidélité de sa femme, les termes utilisés pour retracer la mécanique du soupçon, et, justement, les détails qu'il choisissait de pointer ou pas. Jadis, il avait développé toute une théorie sur l'adultère dans les classes populaires, bien plus délicat et complexe que dans les autres. Dans les milieux culturellement forts, comme le sien, on le considérait comme une dimension inhérente au couple, une sorte de dérivatif inévitable, que le discours savait commenter et relativiser ; on y croisait des Emma Bovary, des Don Juan, et l'on comptait souvent sur la littérature pour légitimer un coup tiré en douce. Chez les grands bourgeois, on prenait l'adultère pour un mal nécessaire, à ranger dans le même tiroir que les maladies vénériennes : ça tombait tôt ou tard, mais ça se soignait. En revanche, pour ceux qui n'avaient recours ni au luxe ni au romanesque, la chose se compliquait de modalités pratiques, recherche d'un lieu pour abriter les ébats, jonglerie avec un emploi du temps souvent réglé au quart d'heure. Plus que d'adultère, il s'agissait de cocufiage, vécu dans la honte et la trahison. Le cinq à sept sombrait dans la tragédie grecque, et la liaison durable dans le crime de bigamie. Philippe Saint-Jean s'était toujours demandé pourquoi placer une telle charge dramatique dans un événement si insignifiant.

— En me trouvant silencieux, un verre à la main, Pauline m'a dit : *Tu prends un apéritif à cette heure-ci ?* Elle a ajouté : *Pouah… je ne boirai plus d'alcool fort de ma vie.*

Hanté par le doute, Yves était allé droit au but : *Tu n'as pas dormi chez Fanny, tu étais où ?* Pauline avait joué la fille qui tombe des nues, mais avec si peu de conviction, et avec une telle peur d'être découverte qu'elle s'en dévoilait elle-même. *Qu'est-ce qu'on est allé te raconter…* Et Yves, imperturbable, cherchant à calmer sa brûlure intérieure à coups de rasades de Cutty Sark, la mettait sur la piste, et sans la moindre ironie : *Ivre morte dans la voiture d'un strip-teaseur à cinq heures du matin, je suis curieux de la suite.* Elle avait tout essayé, l'indignation, la colère, elle avait vomi son dégoût de la médisance, a fortiori la médisance des proches, si pernicieuse. Yves tenait bon, reposant inlassablement la même question avec un calme qui augurait le pire. Une heure plus tard, elle avait craqué et avoué son seul crime : *Oui j'étais ivre, oui il m'a proposé d'aller boire un verre ailleurs, oui j'ai dit à Fanny de me couvrir, oui oui et oui, mais je n'ai pas couché avec lui, je te supplie de me croire !* Comment s'était-elle imaginé que l'homme qui partageait sa vie depuis cinq ans allait se contenter de si peu ? *Boire un verre…* Les cris avaient laissé place aux sanglots mais Pauline n'avait plus rien lâché, elle avait même inversé le procès : comment l'homme qu'elle aimait, son mari, refusait-il de la croire ? A fortiori quand elle venait d'avouer une faute si inoffensive ! Elle avait bu un malheureux verre avec un inconnu qui s'était mis en tête de la ramener chez lui mais, malgré son ébriété, elle avait tenu bon. D'ailleurs, il ne lui plaisait même pas, ce type aux muscles qui sortaient de sa chemise, une caricature !

— Elle y mettait tant de conviction et de précision que j'ai eu un moment de doute. Elle m'a décrit la façon ridicule de draguer de ce gars, l'endroit dans lequel ils avaient échoué, un *after* comme elle disait, un bar qui ouvre quand tous les autres ferment, elle m'a même décrit les copains du type qu'ils y avaient retrouvés, et tout ce beau monde avait picolé dans une ambiance bon enfant jusqu'à midi. J'aurais tant préféré laisser défiler ce film-là. Mais Pauline m'avait menti une fois, comment la croire désormais ?

À la séance de ce jeudi soir, il n'y aurait pas de second témoignage. Une heure venait déjà de s'écouler mais personne n'avait regardé sa montre. Ceux qui avaient prévu de prendre la parole en seraient quittes pour revenir.

Malgré un ultimatum, Yves n'avait pas réussi à obtenir la vraie version de cette fin de nuit-là : Pauline n'en changerait plus. Dans un silence de mort, il avait enfilé sa parka et glissé dans une poche la bouteille de Cutty Sark. Au bord de la nausée, il avait quitté l'appartement sans même un regard vers elle et avait rejoint un petit hôtel de la rue de Tolbiac, s'était enfermé dans une chambre, le verre à la main, allongé dans un lit double, le regard perdu dans les fissures du plafond. *Sa Pauline* était devenue *cette garce de Pauline*, plus jamais il ne l'appellerait autrement, et bientôt il n'aurait plus besoin de l'appeler du tout. Mais avant d'envisager la suite et fin de leur histoire commune, il lui fallait une certitude.

— … Je ne sais pas ce qui m'a pris, vers trois heures, j'ai vu clignoter les voyants rouges du radio-réveil posé sur la table de chevet, et je me suis dit que plus vite j'aurais cette certitude, plus vite je pourrais commencer une nouvelle vie sans cette garce. Un strip-teaseur, à cette heure-là, ça devait être en plein boulot…

Philippe Saint-Jean se redressa tout à coup : le type qui racontait sa triste histoire de jalousie ordinaire avait-il osé un geste aussi extravagant ? Coincer le chippendale qui avait couché avec sa femme ? Personne, dans son milieu, n'aurait été capable d'une chose pareille mais tous en auraient rêvé ! Yves Lehaleur remonta tout à coup dans son estime.

— Je sais que tout ça est ridicule, et ridicule, ça n'est même pas le bon mot, c'est le stade au-dessus du ridicule, comme une farce lamentable qui cherche à être drôle sans y parvenir : Pauline avait couché avec un strip-teaseur, un gars bodybuildé, huilé comme un poulet rôti. La femme avec laquelle je vivais depuis cinq ans était tombée dans ce panneau-là.

En fait, il cherchait le mot « grotesque ».

— C'était quoi, ce fantasme ? L'exact équivalent de la strip-teaseuse vulgaire, fardée et super bandante qui nous plaît tant à nous autres ? C'était la même chose ? Pauline avait eu envie de *ça* ?

Même s'il ne correspondait en rien à la clientèle du club, le videur avait laissé entrer ce gars en parka, terriblement silencieux, lent, et si absent au monde. Yves avait vu défiler sur scène Sabrina et Marcy, puis, au micro, on avait annoncé le show d'un certain Bruno.

— Un accès de haine dès que je l'ai vu. C'est un sentiment si rare chez moi qu'il en devenait un signe évident : c'était lui. Pauline était partie avec lui cette nuit-là.

En le voyant imposer son corps aux clientes, Yves avait cherché en chacune le regard et les gestes de sa femme. Comment avait-elle réagi quand il avait saisi les mains de Pauline pour les poser sur ses fesses ? Quand il avait approché son sexe de son visage ? Avait-elle souri béatement, comme les autres, ou rougi, de honte ou d'excitation, avait-elle été audacieuse ou mal à l'aise, avait-elle eu envie de fuir une attraction inattendue, ou bien de se laisser envahir par elle ? Yves avait demandé à rencontrer ce Bruno en se faisant passer auprès du barman pour un patron de club qui recrutait dans les bars chics de la capitale. Dix minutes plus tard, avait déboulé l'artiste en personne, rhabillé à la va-vite, ruisselant de sueur.

Je suis le mari de Pauline.

Bruno n'avait entendu de cette trop courte phrase que le mot *mari*, et à la réflexion, à quoi pouvait

47

ressembler un gars emmitouflé dans sa parka, dans un haut lieu de la nuit parisienne, sinon à un mari ? *Le mari de qui... ?* Yves lui avait rafraîchi la mémoire : *La blondinette un peu potelée que vous vous êtes tapée samedi dernier.*

— Il a cru que je venais lui casser la gueule. Ça m'a fait plaisir de voir ce grand costaud qui passait des heures dans les salles de sport avoir la trouille d'un gars comme moi. Moi qui suis le contraire d'un bagarreur, moi qui fuis toute forme de violence. Et pourtant, dans l'état où j'étais, je pouvais lui fracasser le nez contre le rebord du comptoir et lui ôter tout espoir de retrouver sa petite gueule à la mode. Il l'a senti.

Qu'est-ce que je peux dire ? Il était trois heures du mat... Elle était adulte et consentante... Je ne pensais pas faire souffrir quelqu'un... et je crois, elle non plus... Bruno avait eu un mouvement de recul en voyant Yves glisser la main dans une poche intérieure. Et en sortir un chéquier.

— Malgré mon envie de mettre ce bar à feu et à sang, je n'étais pas là pour me venger mais pour avoir une certitude. Et surtout, des détails. Sans payer, jamais je ne les aurais eus.

De ces détails qui servent à se rendre malheureux, à rajouter des scènes inédites au cinéma permanent que l'on se joue. Ces détails-là, certes, faisaient mal mais ne mentaient pas — il suffisait d'un seul, même cruel, pour faire cesser toute spéculation, erreur d'interprétation, mensonge, faux-fuyant et faux espoir. Bruno s'attendait à tout sauf à être payé pour le récit de cette nuit-là — et sans doute aurait-il demandé au cocu de lui foutre la paix s'il n'avait eu le chèque en poche. Yves lui proposait de gagner en un quart d'heure l'équivalent d'une soirée entière à jouer le cadeau d'anniversaire, offert par une bande de copines à celle d'entre elles qui s'y attendait le moins.

Bruno avait lâché le morceau en veillant à rester le plus objectif possible. Quand il lui arrivait de griller une étape, Yves lui demandait un retour en arrière. *C'est elle ou c'est vous qui avez proposé d'aller chez vous ? Il était quelle heure ? Elle a accepté tout de suite ?* Le compte rendu, prudent et méthodique, de Bruno s'était résumé en une lente énumération de ces fameux détails. Il avait commencé par noter *sa petite île déserte tatouée au creux de l'aine*. Ce motif, Pauline et Yves l'avaient choisi ensemble. Un coin de paradis où depuis il avait été le seul Robinson.

Ça s'est passé dans le lit ? Par terre ? Sur le canapé ? Elle vous a fait « ça » ? Et « ça » ? Dans cette position-là ? Et « ça », vous le lui avez demandé ou elle vous l'a fait spontanément ? Des caresses qu'Yves prenait pour des dons de sa femme à l'homme qu'elle aimait. Une intimité qu'ils avaient passé des années à conquérir. Un inconnu avait tout obtenu en une seule fois et sans même avoir besoin de la mettre sur la voie. Quand Yves lui avait demandé si elle avait joui, Bruno avait répondu : *Je ne sais pas*, sans pourtant laisser le moindre doute planer. À son réveil, Pauline avait disparu sans laisser de mot ni de numéro, et pour Bruno c'était bien mieux ainsi.

Yves lui avait posé une toute dernière question : *Pourquoi ma femme ? Vous qui attirez des filles bien plus belles, bien plus riches, bien plus en vue, pourquoi avoir couché avec une petite femme si ordinaire à vos yeux ?* Sans hésiter, il avait répondu : *Parce que la ménagère qui s'offre un extra, ça se tente au moins une fois.* Rappelé en coulisses, Bruno avait lancé un dernier regard, sans ironie ni malveillance, vers Yves. *Je sais que ça n'aidera pas, mais les femmes que je rencontre ici me voient comme une espèce de sex toy vivant. En général, elles repartent déçues.*

Effectivement, ça n'avait pas aidé. Car, depuis cette nuit-là, Yves n'était plus l'homme qui avait su faire rêver sa femme, son prince charmant, l'objet de son désir. Il était redevenu un petit poseur de double-vitrage qui ressemblait au premier venu, pas plus ambitieux que la moyenne, juste un brave gars qui fera un bon petit mari et un père attentionné, avec lequel on pourra vieillir sans trop de regrets. La fougue et la fièvre, c'était déjà un autre, un inconnu qui arrachait des cris aux femmes rien qu'en apparaissant sur scène.

— Les hommes infidèles qui sont trompés à leur tour n'ont que ce qu'ils méritent. Mais moi ? En cinq ans, je n'avais pas croisé de femme plus attirante que la mienne, et qui sait si ça n'aurait pas duré ainsi encore longtemps ?

Durant ses années de mariage, Yves ne s'était jamais posé de questions sur la fidélité, la longévité du couple ou l'érosion du désir. À bord d'une coquille de noix où ne tenaient que deux passagers, il avait mis le cap sur le grand large et s'était imaginé faire le tour du monde contre vents et marées. Aujourd'hui, débarqué de son rêve, il ne reprendrait plus la mer avant longtemps.

— Je n'ai jamais revu Pauline. Je n'éprouve pas le plus petit atome de nostalgie de ce que nous avons vécu. Même dans mes pires cauchemars, elle apparaît de moins en moins. Je l'oublie.

De son côté, elle avait tout tenté pour implorer son pardon, prête à tous les serments, mortifiée de s'être égarée cette nuit-là. Pour ne plus lui adresser la parole, Yves avait confié à un avocat toutes les questions matérielles et la procédure de divorce. Mais, avant que ce mauvais film ne le laisse enfin en paix, Yves s'était arrêté sur chacun de ses enchaînements pour tenter d'identifier lequel avait fait basculer son mariage. Illusoire mais systématique analyse de toutes les hypothèses, de toutes les bifurcations possibles d'une longue série d'épisodes conduisant à une fin inéluctable. *Et si ce soir-là... ?* Et si ce soir-là ils étaient allés dans un autre bar ? Et si elle avait bu du whisky au lieu de la vodka ? Et si ce crétin de danseur avait fumé une cigarette dehors durant sa pose ? Et si Alain s'était montré plus convaincant ? Fanny aurait-elle servi d'alibi si elle n'avait pas habité à deux pas ? Et si le plus petit de ces détails avait contredit à lui seul une telle fatalité, Yves aurait-il fini sa vie avec Pauline, tous deux le cœur en paix, entourés de leurs petits-enfants ?

Il n'aurait jamais de réponse. Mais tant de conjectures confirmaient à leur façon que seul le drame savait convoquer le destin en personne. Jamais les fins heureuses.

— Aujourd'hui j'en arrive à penser que ce coup du sort a peut-être été ma chance. Les événements sont encore trop récents, mais je sais qu'un jour prochain je remercierai Pauline de m'avoir délivré d'elle.

Yves quitta l'estrade, épuisé, tout étonné d'être allé si loin dans l'impudeur. Il ne s'était cherché aucun arrangement avec la vérité, on l'avait écouté sans condescendance, et son récit semblait déjà ne plus lui appartenir. Philippe Saint-Jean, qui d'habitude mettait un point d'honneur à ne s'épater de rien, était forcé d'admettre que ce drôle de bonhomme, qui se déclarait mal à l'aise en public, avait captivé cent personnes deux heures durant — même au Collège de France il n'avait jamais écouté de communication aussi soutenue. Si son histoire était banale, sa façon de la vivre, et surtout d'en finir, ne ressemblait à rien de connu. Comment avait-il pu être si radical, si impitoyable avec une femme qu'il aimait tendrement jusqu'alors ? Une telle intransigeance paraissait démesurée, injuste. Quel noir sentiment était assez fort pour détruire le bonheur manifeste ? Philippe l'imaginait si bien, cette Pauline, reine d'un soir, perdant le contrôle de ses émotions. Comment ne pas comprendre que l'écart de cette nuit-là ne s'était pas produit par hasard mais au moment où, dans son tout nouveau foyer, elle allait fonder une famille. Et cette aventure-là se déroulerait si vite que, sans s'annoncer, l'âge mûr viendrait la relever de sa mission. Comment ne pas deviner que le symbole de cette incartade comptait bien plus que le frisson ? Comment ne pas admettre que cette folie d'une nuit était sans doute la dernière audace d'une jeune femme sur le point de tout donner, et avec bonheur, au quotidien des siens ? Comment refuser le pardon à une femme aimée quand on reconnaît le droit à l'erreur à ceux qui jamais ne devraient en commettre ? Quand on accorde des circonstances atténuantes aux crimes de sang chaud ?

Philippe Saint-Jean et Denis Benitez quittèrent la salle ensemble, longèrent un couloir en évoquant leurs souvenirs de communale. Au seuil de l'établissement, éclairé par un réverbère, ils aperçurent la silhouette d'Yves Lehaleur qui détachait l'antivol de son scooter. Les trois hommes échangèrent poignées de main, noms et prénoms, puis quelques amabilités sans lien direct avec cette confrérie dont ils ne savaient plus quoi penser. En voyant scintiller la terrasse vitrée d'un café, l'un d'eux proposa d'aller prendre un verre.

*

Attablés devant des bières, ils firent connaissance comme s'ils s'étaient rencontrés dans des circonstances plus classiques. Philippe était intrigué par Denis, *l'homme que les femmes fuyaient*, et bien plus encore par Yves, *l'homme qui ne pardonnait pas*.

Si, du temps où il vivait avec Juliette, sa dernière compagne, Philippe avait vécu pareille mésaventure, il aurait cherché à démêler le vrai du faux, à balancer écoute et reproche, à puiser tantôt dans le bon sens populaire, tantôt dans la psychanalyse. Il se serait montré attentif, puis virulent, puis démuni, magnanime enfin, toujours présent, à elle, à leur couple, afin de lui définir de nouvelles bases. Philippe aurait tout autant dialogué avec lui-même, quitte à se perdre dans une spirale de sens, ou bien il se serait confié à un ami auteur d'un essai sur la jalousie, ou à un ancien analyste recontacté pour l'occasion. Tout mais pas cette décision implacable et définitive, ce couperet tombé sans même laisser la plus petite chance à l'autre. Philippe vivait encore au pays de Voltaire et de Sartre, celui des mots.

De son côté, Yves avait, ce soir, tourné une page. En homme libre, il ne savait pas de quoi demain serait fait mais ça n'avait guère d'importance ; il avait payé trop cher ses projets d'avenir avec Pauline pour s'en découvrir de nouveaux. Dorénavant, il allait s'en remettre au hasard, et si le hasard avait décidé de prendre son temps, Yves avait déjà retrouvé le sien. C'était même le premier cadeau de sa toute récente liberté : le temps, le temps pour soi, le temps pour tout, le temps perdu, le temps béni.

Pendant que Philippe commandait des verres, Denis observait la serveuse de pied en cap, *joues roses et pommettes saillantes, capable de donner tout ce qu'elle n'a pas si on le lui demande avec délicatesse.* De se savoir si disponible à toutes les femmes du monde le ramena tout à coup à sa terrible solitude et, pour la repousser quelques heures encore, il décida de repasser par sa brasserie pour un dernier verre entre collègues. Philippe, peu pressé de partir, avait prévu de s'endormir devant la rediffusion d'un documentaire. Et comme chaque soir, de retour dans son grand lit vide, Yves allait s'interroger sur le seul aspect du célibat qui le préoccupait désormais : le manque de sexe.

Après Pauline, se trouver une nouvelle partenaire n'avait pas été une priorité. Il lui avait fallu de longs mois pour se remettre du choc et surmonter une sorte de dégoût pour toute forme de chaleur humaine. Mais sa libido depuis s'était rappelée à lui, plus préoccupante de jour en jour. Bizarre fébrilité à la tombée de la nuit, regards traînants au passage d'une jupe, érections intempestives. Il allait devoir partir à la recherche de nouveaux corps, et dans ses rêveries diurnes il en imaginait toute une série, comme pour se mettre à jour d'une vie de séducteur interrompue cinq années durant pour une garce qui n'avait pas mérité sa fidélité. La perte de la femme qu'il aimait avait modifié la chimie de ses sentiments de façon irréversible. Plus jamais Yves — il insistait sur le *plus jamais* — ne tomberait dans le piège de l'intimité. S'il ne parvenait pas toujours à mettre des mots sur ses émotions, certains lui inspiraient désormais un réflexe nauséeux, comme *amour* et son cortège de synonymes, ou *tendresse* et ses dérivés, avec une mention spéciale pour *couple*, particulièrement indécent mais sans équivalent réel. D'autres s'en sortaient mieux, *affection* ne recouvrait rien de trop sordide et *attirance* restait assez vague pour ne prendre aucun risque. Curieusement, il avait banni le mot *séduction* de son vocabulaire. Séduire ? La belle affaire. Le terme induisait un enchaînement de figures imposées, toutes plus fastidieuses les unes que les autres. Rencontrer, accoster, se montrer brillant dans la mesure de ses moyens, extirper un numéro de téléphone, attendre un laps de temps suffisant avant de se manifester, extorquer un rendez-vous, rester patient, et drôle encore, afin de se retrouver dans un lit, sans pourtant paraître trop audacieux, deviner les limites sans les transgresser. Si d'aventure on franchissait avec succès ces étapes-là, la fille qui avait succombé ne devait en aucun cas s'imaginer avoir *rencontré quelqu'un*. Yves Lehaleur, le cœur découragé, se dispenserait dorénavant de tout souci de romantisme.

Contrairement à ses habitudes, Philippe, le verre à la main, parlait plus que les deux autres. Dans les conversations d'ordre général, il restait souvent embusqué, prêt à ressurgir quand l'un de ses interlocuteurs s'engageait dans une impasse. Ce soir, sans doute parce qu'il était le seul des trois à ne pas s'être exprimé en session, il monopolisait la parole. Denis se contentait de relancer, amusé par la façon dont Philippe donnait du sens aux bavardages de comptoir. Yves, de son côté, cherchait la façon la moins vulgaire de parler sexe avec deux inconnus : *et vous les gars, vous faites comment ?* À en croire son témoignage, Denis n'avait pas fait l'amour depuis de longues années, et Philippe se disait séparé depuis peu ; on pouvait imaginer que chacun avait sa réponse.

Malgré les efforts d'Yves, on n'aborderait pas, ce soir-là, le sujet. On ne saurait rien de l'abstinence forcée de Denis Benitez, de son angoisse issue de la perte du désir, du spectre de l'impuissance. Avec les années, toute volupté avait déserté jusqu'à ses rêves, dernier refuge des pulsions inassouvies. Parmi ses causes perdues, Denis faisait figurer sa virilité au tout premier rang.

On ne saurait pas plus comment Philippe essayait de retrouver Juliette dans le lit des autres femmes. Aucune n'avait son odeur, aucune ne savait se cambrer comme elle dans une position en cuillère, aucune ne poussait ce râle de plaisir, discret mais si intense. Il avait cherché à se consoler avec la première venue, puis la deuxième, et à chaque étreinte il s'était imaginé le corps de Juliette pour provoquer l'orgasme de sa partenaire et l'atteindre lui-même, prouvant à sa façon que la simulation n'était pas qu'un apanage féminin. Il avait beau s'interdire toute nostalgie, s'accrocher à ses résolutions, jouer les détachés, relire ses classiques, la vie avait perdu toute fantaisie depuis le départ de la belle.

Ils s'étaient rencontrés lors d'un colloque où Philippe avait dénigré en public une biographie de Spinoza qu'elle avait écrite. Pas le moins du monde impressionnée, elle lui avait tenu tête avec une telle assurance qu'il l'avait invitée à dîner pour se confondre en excuses. Les premiers temps, il avait été dérouté par cette femme plus grande que lui à la fois par l'âge, la taille et l'expérience. Elle mesurait une tête de plus que tout le monde, elle était son aînée de quatre ans, et elle avait élevé ses enfants seule. Pour en avoir vécu plusieurs, Juliette n'avait pas eu peur de se colleter à la vie, à l'inverse de Philippe qui jouait au pur esprit, désemparé face au quotidien. Plus il rendait hommage à son agilité d'esprit, à son indépendance, plus il admirait sa beauté, intacte depuis l'époque où, pour payer ses études de lettres, elle avait posé pour quantité de peintres et de sculpteurs. *Juliette Strehler, 1,85 m pour 63 kg, sa statue en pied est exposée au Smithsonian de Washington.* Ainsi la présentait-il à ses amis qui jamais n'avaient connu Philippe Saint-Jean aussi fier de paraître au bras d'une femme. Aujourd'hui, drapé dans son orgueil, il lui faudrait encore longtemps avant d'admettre que le manque de Juliette était la raison profonde qui le poussait vers ces rendez-vous du jeudi. Si elle l'avait quitté pour un autre, même un go-go dancer, Philippe aurait trouvé la sentence bien moins cruelle. Elle l'avait quitté à cause de ce qu'il était devenu : un type tout prêt à accepter, sans plus se poser de question, l'image du brillant intellectuel que d'aucuns lui renvoyaient. Philippe Saint-Jean s'était pris pour Philippe Saint-Jean, et seule Juliette s'en était aperçue.

Cette conversation sur la frustration sexuelle n'aurait pas lieu, mais ça ne changerait rien à la réponse qu'avait trouvée Yves pour s'en débarrasser, et de la façon la plus logique possible : il consommerait sans séduire. Sans prononcer un mot. Sans même connaître la fille. Sans prendre le temps de savoir si elle lui plaisait vraiment. Sans risquer de voir s'installer le plus petit atome de sentiment. Un ami marié lui avait dit : *Tu sais, l'avantage d'une pute, c'est pas tant qu'elle fasse tout ce que tu veux, c'est qu'elle s'en aille juste après.* Le même ami, qui semblait en connaître un chapitre, lui avait laissé le numéro d'une certaine Kris.

Yves n'avait pas encore connu de prostituées, et peu d'hommes de son entourage avaient fait appel à leurs services. Pour lui, c'était une pratique d'une autre époque, qui concernait d'autres milieux, d'autres mœurs que les siennes. Il n'y avait là aucune dimension morale mais juste une affaire de circonstances : il n'avait jamais eu besoin de payer. Et du haut de ses quarante ans, brutalement célibataire, fuyant toute idée d'attachement, il était décidé à appeler cette Kris dont on lui avait fait une vague description physique. Si un inconnu comme Philippe ou Denis lui avait dit *ça m'arrive de temps à autre*, Yves se serait senti dans une norme, prêt à admettre que tout homme un jour en passait par là. Le numéro de la fille traînait dans sa poche depuis une semaine et le besoin de l'appeler s'imposait maintenant. Elle viendrait, il s'emparerait de son corps et, après son départ, il en finirait une bonne fois pour toutes avec ce brave monsieur Lehaleur, petit mari exemplaire en route vers la grande aventure familiale. Plus aucune Kris, aujourd'hui, ne lui en demanderait tant.

Avant de quitter le bistrot, Philippe demanda aux deux autres s'ils avaient l'intention de revenir le jeudi suivant. Denis acquiesça et Yves répondit : *sans doute.* Chacun repartit avec l'intuition que leur trio serait amené à se reformer.

3

Philippe Saint-Jean circulait la plupart du temps à pied et se vivait comme un arpenteur de Paris, un promeneur solitaire. Ses activités lui en laissaient le temps et mettaient à profit tant d'heures passées dans les rues. En outre, posséder une voiture aurait été antirationnel, non écologique, et pour tout dire, vulgaire. Dans ses itinéraires, il lui arrivait d'inclure un détour par un parc, une église, un quai de Seine, ou, comme aujourd'hui, une librairie d'occasion. Chaque fois qu'il passait par le quartier de la Bastille, il s'arrêtait devant les rayonnages poussiéreux d'une petite boutique de la rue Saint-Antoine, et se laissait surprendre par un titre, un auteur oublié, une reliure piquée, irrésistible. Sa curiosité, sa patience lui avaient permis de découvrir des petits textes insolites qu'il lisait jusqu'au bout et citait au hasard de ses conversations. Dans un bac de livres en vrac, il feuilleta un volume broché à la couverture rouge et or, juste assez patinée pour inspirer confiance : *Avec l'eau du bain. Petite mésaventure langagière,* d'un certain Édouard Gilet. Pour 5 €, ce serait l'acquisition du jour et le petit plaisir du coucher.

Il traversa la place de la Bastille, prit la direction de la Nation, et s'arrêta, intrigué par un attroupement devant un luxueux café qui jouxtait l'Opéra ; une caméra montée sur des rails, des techniciens munis de talkies-walkies, des projecteurs, des figurants attablés devant des cocktails fluorescents et, au milieu de tant d'agitation, la doublure lumière d'une actrice.

— C'est quoi comme tournage ? demanda une voix dans la foule.

— Une pub pour un parfum.

Comme tant d'autres, Philippe aimait s'attarder devant les grosses machineries de cinéma, espérant y croiser un visage connu, un metteur en scène dont il aurait apprécié le travail. Au mot « pub » il quitta la grappe de badauds, avouant là son profond désintérêt pour ce que certains considéraient comme un art — selon lui le pire avatar de la sublimation marchande. Il aperçut cependant la silhouette que tous attendaient, drapée d'un blanc étincelant qui mettait en valeur une peau aux reflets d'or brun. La demoiselle prenait place avec une aisance de professionnelle, consciente de son rayonnement, l'air juste assez blasé pour décourager un fâcheux. Tout surpris, Philippe reconnut le visage de cette fille et chercha son prénom, qui sonnait comme Mira ou Mina, un petit miaulement affecté qui lui allait si bien. *Mia !* cria une voix pour attirer le regard de la mannequin qui consentit un sourire. Philippe l'avait rencontrée un an plus tôt, lors d'un dîner mondain organisé par un patron de presse qui se vantait d'avoir *des amis dans tous les secteurs* — Philippe avait trouvé l'expression exécrable mais avait répondu présent. Durant le dîner, il avait vainement cherché à attirer l'attention de cette fille à grand renfort de saillies conceptuelles. De son côté, Mia, habituée à être au centre de tout, avait trouvé bavard et pédant cet intellectuel qui n'avait pas manifesté la moindre curiosité à son égard.

Étrange de la revoir là, dans son cocon de lumière et de célébrité, si lointaine. Précédée par un travelling latéral, elle reproduisait un geste savant qui consistait à jeter une giclée de parfum dans les airs comme on lance son verre de champagne au visage d'un insolent. Puis elle quittait le café en courant, suivie par un habile mouvement de caméra qui permettait d'apercevoir, en fond de champ, la colonne de Juillet. Philippe aurait déjà passé son chemin si quelque chose ne l'avait retenu là, comme un simple curieux fasciné par le luxe et l'apparat, ce qu'il n'était pas. Il aurait aimé accoster cette Mia sans autre raison que de vérifier si elle se souvenait de lui comme il se souvenait d'elle.

À la sixième prise, elle l'aperçut enfin. La traîne de sa robe à la main, elle esquissa un sourire, plissa les yeux, fournit un réel effort de mémoire : il lui rappelait quelqu'un, mais qui ? Elle fit signe à un assistant de laisser Philippe entrer dans le champ de la caméra.

— Vous vous souvenez ? Un dîner chez Jean-Louis. C'était dans un grand duplex, quai Voltaire.

— … Vous êtes le philosophe ?

63

— Oui.

— Incroyable, cette coïncidence ! La semaine dernière j'étais à Johannesburg pour un shooting, et le soir, dans ma chambre d'hôtel, j'allume TV5 Monde, vous savez, la chaîne francophone, et je vous vois ! Vous parliez de votre bouquin, là... Avec « miroir » dans le titre...

La rediffusion d'un magazine d'information où il avait réussi à caser son essai sur la mémoire collective. Mia l'avait vu et, de surcroît, à l'autre bout du monde. Ils échangèrent quelques banalités, lui, amusé par l'absurdité de la situation, et elle, assaillie par sa maquilleuse, au milieu d'un public qui assistait à leur rencontre comme si elle faisait partie du scénario. Aucun des deux ne ressentait le plus petit des fulgurants symptômes qu'éprouvent deux individus sous le coup d'une attraction mutuelle : pas d'accélération du rythme cardiaque, pas de dilatation des pupilles, pas de montée d'adrénaline, pas de bouffée de chaleur, et malgré tout, sans qu'ils sachent pourquoi, aucun des deux ne voulait interrompre leurs retrouvailles.

— ... Le metteur en scène me réclame.

Philippe aurait aimé obtenir ses coordonnées sans avoir à les demander, et Mia voulait se laisser la possibilité de le revoir sans en prendre l'initiative. Tous deux avaient passé depuis longtemps ce stade de gêne polie où l'on se sent obligé de garder le contact sans le vouloir vraiment.

Et pourtant, l'instant s'éternisait.

— Je voyage beaucoup mais je reviens à Paris

régulièrement, dit-elle en cherchant de quoi noter son numéro.

— Je ne quitte jamais Paris, répondit-il en sortant une carte où ne figurait que son e-mail.

Philippe serra la main de Mia, surprise de n'avoir pas à tendre ses joues, puis quitta la scène et son public pour s'engager dans la rue du Faubourg-Saint-Antoine, avec, en ligne de mire, la place de la Nation. À 18 h 40, un jeudi.

*

La salle de classe, toutes fenêtres ouvertes, déjà pleine d'une centaine d'hommes recueillis, vivait là ses derniers jours avant démolition. Une décision administrative venait enfin de tomber, prenant de court toute la hiérarchie : on allait raser l'aile ouest de l'établissement pour y construire un complexe sportif. Le conseiller d'orientation ouvrit la séance pour en informer tous les présents ; il allait falloir se trouver un nouveau toit d'ici la semaine prochaine. Des idées furent jetées pêle-mêle jusqu'à ce que le responsable de la sécurité d'un petit musée privé, doté d'une salle de projection, propose d'y héberger les rendez-vous à venir. Quelques semaines, voire plus, pouvaient s'écouler avant qu'on ne lui demande des comptes. Cette solution-là emporta tous les suffrages.

Denis Benitez et Yves Lehaleur virent arriver Philippe Saint-Jean juste avant que les portes ne se ferment. Yves lui chuchota l'adresse de la prochaine réunion pendant qu'un type se dirigeait avec aplomb vers l'estrade.

— Je viens depuis plusieurs semaines et je ne suis pas sûr qu'il s'agisse du bon endroit pour ce que j'ai à dire, mais je n'en ai pas trouvé d'autre. Si cela vous paraît hors de propos ou même déplacé, je vous demande par avance de m'en excuser. J'imagine que la majorité des personnes présentes vivent seules, ce qui n'est pas mon cas. Je vis ce à quoi tout individu aspire, un amour partagé.

Philippe n'écoutait déjà plus, encore troublé par sa rencontre avec l'inconcevable Mia, à la lueur des spots, habillée de platine, entourée d'une foule qui scandait son prénom. Rien de fascinant mais juste irréel, un instant de cinéma. Philippe aurait pu tirer de cette expérience la préface d'un ouvrage sur l'imaginaire de l'argent, et pourtant il avait été, lui, tout sociologue qu'il était, l'acteur involontaire de ce film.

— Il faut que je vous parle un instant d'Émilie. Elle sourit dès qu'elle ouvre l'œil et s'endort en disant quelque chose de drôle. Émilie aime la vie, la vie l'aime, et je ne sais pas si le mot a encore un sens aujourd'hui : je crois qu'elle est heureuse.

Philippe Saint-Jean doutait du réel pouvoir de fascination d'une Mia. Pas plus qu'aujourd'hui, sa plastique irréprochable ne l'avait ému la première fois. Au retour de ce dîner raté, Juliette lui avait demandé : *Est-elle aussi belle en vrai qu'en photo ?* Il s'était alors lancé dans un laïus sur la seule vraie beauté, celle qui s'ignore. Certes elle était dotée de bien des atouts, mais aucun ne pouvait résister à deux heures de non-conversation avec une enfant gâtée, persuadée d'avoir une vie bien plus exaltante que le commun des mortels. Philippe avait répondu à la question de Juliette : *Cette fille est un monstre de symétrie, ça n'est en aucun cas de la beauté, parce que la beauté, c'est toi.*

— Il y a pourtant une ombre au tableau. Émilie et moi ne nous aimons pas à la même vitesse. Il ne s'agit pas d'une différence d'intensité mais de style. Je suis passionné, Émilie est réfléchie. J'anticipe le moment à venir, elle goûte l'instant présent. Je l'appelle dix fois par jour, elle pense que les mots se vident à force d'être répétés. J'aime savoir tout ce qu'elle fait, Émilie ne me pose aucune question. Je veux connaître ses amis, elle m'encourage à faire la fête avec les miens. Toutes mes phrases sont pleines de jamais et de toujours, elle pense que l'absolu n'existe pas. Au fil des mois, je me suis demandé si tant de disparités ne révélaient pas quelque chose de plus profond. N'allaient-elles pas se cristalliser à la longue et s'insinuer entre nous au point de contredire ce qui nous avait réunis ? J'étais bien conscient de créer le problème rien qu'en le formulant mais, au lieu de me sentir rassuré par la confiance d'Émilie, qui prône le droit à la diffé-rence, qui a le don de relativiser ce qui doit l'être, je me suis mis à guetter les fausses notes, parfois à les provoquer afin d'en tirer des conclusions. Je lui ai reproché de n'être pas aussi empressée que moi, de rester maîtresse d'elle-même en toutes cir-constances, de ne jamais lâcher prise. Il m'est arrivé d'être impatient, irritable, injuste, et de plus en plus fréquemment. Jusqu'à ce qu'Émilie, un matin où j'avais passé les bornes, cesse de croire en notre avenir commun. Vous me direz, je l'avais bien cherché…

Affalé sur sa chaise, les poings dans les poches de sa veste, Denis Benitez regrettait d'être venu. Depuis le réveil, une lassitude d'origine inconnue avait remis en question le moindre de ses gestes et l'idée même de travail. Un fond de culpabilité l'avait pourtant contraint à enfiler chemise blanche et tablier noir, à poser quantité d'assiettes devant des ventres plus ou moins affamés, à répondre cent fois à la même question sur la préparation du cabillaud, à supporter les engueulades en cuisine, les reproches en salle et les invectives du patron. Durant la coupure de quinze heures, il avait cherché sur internet des sites de thalasso, persuadé que sa fatigue venait de trop d'usure et qu'un peu d'eau chaude lui ferait du bien. À 18 h 30 il avait pris le métro direction Nation en se demandant pourquoi. Après tout, il avait vidé son sac devant des inconnus, à quoi bon retourner vers eux ? Pour subir les jérémiades d'un type qui osait se plaindre de l'affection de sa femme ?

— La peur de perdre Émilie m'a brutalement calmé. Ne plus l'étreindre ? Ne plus m'imprégner de son odeur ? Ne plus la dévorer comme un agneau ? Ne plus lui laisser parfois le rôle du loup ? Ne pas connaître les enfants que nous aurions ? Tout ça parce que je mesure avec un double décimètre l'attachement à l'autre ? Les cinq ou six mois qui ont suivi son ultimatum, j'ai joué le compagnon idéal, modèle de compréhension, de tact. Du moins en surface, parce que rien n'avait changé, sinon que j'allais désormais taire mes inquiétudes, de plus en plus sévères et injustes. *Pourquoi n'est-elle pas avec moi, là, tout de suite ? Qu'a-t-elle de mieux à faire ? Pourquoi ne dit-elle m'aimer que quand je le lui demande ? Pourquoi est-elle si prudente quand nous abordons les projets d'avenir ?* Je savais que notre couple ne surmonterait pas une seconde crise pour d'aussi absurdes griefs. Il fallait à tout prix que je lui fiche la paix, que je la laisse vivre et m'aimer comme elle l'entendait. J'ai alors imaginé une solution, une terrible solution...

Pour Denis, pareil témoignage était une indignité. Ce type-là pouvait à tout moment quitter la salle pour retrouver son Émilie, lui tenir compagnie, lui faire des enfants ou lui disputer la télécommande, et pourtant il restait là, à ratiociner, à se perdre dans des subtilités débiles sur la vie de couple, quand tant de petits moments d'harmonie n'avaient aucun besoin d'être commentés ou mis en perspective.

— ... Une terrible solution mais terriblement efficace : je trompe ma femme. Je couche avec une autre à raison d'une fois par semaine. Un acte qui a peu d'intérêt en soi mais seulement après, quand je suis de retour à la maison. Je me sens piteux, j'ai honte de trouver un prétexte pour prendre une douche à peine arrivé, de détruire toute trace, de mentir sur mon emploi du temps. Je m'aperçois alors que je vis avec une femme merveilleuse qui ne se doute pas de ma vilenie. Quand je la prends dans mes bras alors qu'une autre vient de les quitter, je mesure à quel point mes reproches sont infondés, et je cesse enfin de chercher des problèmes là où il n'y en a pas. Ce que je prenais autrefois pour de l'indifférence m'apparaît aujourd'hui comme de la confiance et du respect. Je ne cherche plus à connaître le détail de tout ce temps passé sans moi, je sais désormais qu'elle a besoin de s'accomplir, seule, sans vivre à travers moi, par moi ou pour moi, et c'est cette Émilie-là que j'aime.

Qu'est-ce que c'est encore que ce tordu ! pensait très fort Yves Lehaleur. Depuis qu'il fréquentait le club du jeudi, il en avait entendu de sévères, mais jamais à ce point. Tromper sa femme pour ne plus la harceler… Quel stade de dégénérescence du couple avait-on atteint pour envisager ce genre de stratagème ? Pour avoir vu son amour brisé par un adultère, Yves ne pouvait admettre qu'il fût une solution à quoi que ce soit. À ses yeux, les schémas psychologiques compliqués en réponse aux problèmes de cœur cachaient bien d'autres malaises. Pour chérir sa Pauline, il n'avait pas eu recours à de vicieux subterfuges. Elle était là, évidente, et ça lui suffisait.

Le témoin quitta la chaire du professeur et un autre le remplaça, qui s'empressa de prononcer un mot pour s'en débarrasser d'emblée : il était impuissant. Une disgrâce qu'il subissait depuis *toute sa vie d'homme*, précisa-t-il en hésitant sur le mot homme. À l'âge où *ceux qui l'ont fait* triomphaient de *ceux qui sont sur le point de le faire*, il avait attendu son heure qui semblait ne jamais sonner. Malgré une exceptionnelle timidité qui le privait de l'usage de la parole en présence de filles, il s'était promis de se guérir de l'adolescence avant ses vingt ans. Mais les étés s'étaient succédé, glacés comme des hivers, et ses rares tentatives — peur au ventre, membre flasque, regards fuyants, logorrhée confuse puis silence de mort — s'étaient soldées par des petits matins de honte qui le condamnaient au silence — comment parler de son infirmité quand elle était devenue l'insulte suprême pour qui veut blesser l'espèce mâle ? Alcooliques et criminels repentis pouvaient assumer publiquement leur drame, lui non. De surcroît, il se sentait exclu d'une culture universelle où l'amour en général et le sexe en particulier prenaient la meilleure part ; il lui arrivait de lâcher un livre où l'auteur décrivait comment hommes et femmes se découvraient, se charmaient, s'enfiévraient et s'enchevêtraient, comme il lui arrivait de détourner le regard quand, sur un écran, un amant fougueux renversait sa partenaire sur la table.

Lehaleur lui aussi détourna le regard, comme il aurait volontiers coupé le son s'il avait pu : ce témoignage-là le mettait mal à l'aise. S'imaginer sourd ? muet ? les deux à la fois ? Peccadille. Manchot, paralytique ? Tout mais pas *ça*. Ainsi que tant d'hommes, il lui paraissait impossible de se résigner à une invalidité bien plus dégradante que toutes les autres. Il le pensait déjà quand il vivait avec Pauline, et plus encore aujourd'hui, à l'aube d'une grande carrière de débauché. Mais le témoin poursuivait, implacable : après avoir exposé le comble du malheur, le pire restait à venir. Passé la trentaine, il ne commettait plus l'imprudence de céder à l'attraction pour une belle inconnue — il l'imaginait aussitôt repérer ses évitements répétés, puis prendre le large — pas plus qu'il ne côtoyait une bande de copains qui, tôt ou tard, se demanderaient pourquoi il passait sa vie amoureuse sous silence, pourquoi il goûtait si peu aux bavardages scabreux. Aucun traitement n'étant efficace, sa libido s'était dissoute à force de ne jamais mettre en marche la mécanique du désir.

Une angoisse tira soudain Denis Benitez de sa léthargie : chaque phrase qu'il entendait sonnait comme une préfiguration de son propre avenir. Sa vie de jeune dévergondé lui semblait loin, et lui aussi ressentait aujourd'hui une perte du désir qui semblait irréversible. Certes, il imaginait qu'entre un homme impuissant depuis toujours et celui qui le devient, il devait exister la même différence qu'entre un aveugle de naissance et un homme ayant perdu la vue. Mais Denis aurait été incapable de dire si la nostalgie d'un avant rongeait autant que la privation d'un bien ignoré.

— Quand j'ai eu quarante ans, j'ai pris une résolution.

Celle de cesser d'être une pathologie pour devenir un destin : il ne serait plus *l'impuissant*, mais *l'homme vierge*. Une profession de foi qui traditionnellement seyait mieux aux femmes mais qui lui laissait une chance de légitimer toute une vie d'abstinence. Il avait donc cherché à sa virginité une signification mystique qui ferait basculer l'agnostique vers le dévot. Mais la révélation avait tardé, et sans doute n'était-il pas fait de cette bure-là.

— Tant d'années passées à me sentir sous-homme ne m'ont pas aidé à trouver Dieu ni le chemin d'un monastère…

En atteignant la cinquantaine, il avait interprété différemment son exception ; certes il n'avait jamais connu les plaisirs de la chair ni la transcendance d'un amour, mais sa vie retranchée des passions humaines, exempte de tout commerce avec ses contemporains, lui avait permis d'atteindre un point d'égoïsme absolu et presque parfait. Cette éternelle cohabitation avec lui-même, à l'exception de tout autre, en avait fait un ermite urbain, civilisé, incapable d'empathie pour autrui, paisiblement insensible aux malheurs de son espèce. Il avait traversé ces années-là comme s'il était le dernier individu sur terre, plein d'un silencieux mépris pour tous ces hommes qui fonctionnaient normalement, pour toutes ces femmes qu'il n'avait pas pénétrées.

— Je regrettais seulement que ma carapace de misanthropie se soit forgée si tard.

Pourtant, dans sa cinquante-quatrième année, l'humanité s'était rappelée à lui en la personne d'Emma, une collègue du même âge qui vivait seule depuis son veuvage et le départ de ses enfants. Elle liait peu conversation, rasait les murs, et il leur avait fallu se croiser un millier de fois dans les couloirs de leur compagnie, devant les rails du self, sur un quai de métro, pour s'adresser la parole. Ils s'étaient revus au théâtre, parfois le dimanche aux concerts en plein air, et leur dialogue s'était affiné au fil des mois, sans le moindre enjeu, joyeux le plus souvent, serein toujours, et sans doute trop : un rapprochement restait à craindre. S'en serait suivi un scénario aussi tragique que prévisible et, afin d'anticiper d'inévitables complications, il s'était lancé dans une longue confession.

— J'ai prétexté un grave accident qui avait « altéré ma faculté érectile ». Je voulais que ça sonne comme un euphémisme… Connaissant cette partition-là par cœur, je n'ai eu aucun mal à l'émouvoir. Contre toute attente, Emma s'en est trouvée soulagée. Sa propre libido avait disparu en même temps que son mari.

Mais l'idée de passer ses vieux jours auprès d'un dernier compagnon la rassurait. L'âge de la retraite allait bientôt sonner et leur douce amitié avait glissé vers une paisible vie commune. Délivré de toute pression, il goûtait pour la première fois à une intimité partagée en dormant avec une femme au creux de son épaule. Bien vite, le sacrifice de tant d'années de volupté lui avait paru bien moins cruel que les trésors de tendresse dont il avait été privé.

— Hélas un tel bonheur ne pouvait durer. Et Dieu sait combien je l'avais attendu.

Devant un public qui imaginait une fin heureuse à sa triste histoire, il prit son air le plus grave : passé les premières nuits dans leur lit commun, il s'était réveillé frénétique, la queue dressée contre la cuisse d'Emma.

— C'était un ordre du corps, le premier qu'il me donnait avec une telle autorité.

Chaque nuit il désirait Emma un peu plus, et chaque nuit il cachait sa trique de jeune homme en multipliant les esquives. Certes elle aurait pris une telle excitation pour un hommage tardif, mais comment pardonner un mensonge si pernicieux et si diaboliquement détaillé — il avait dépeint son accident avec précision, rapporté mot pour mot le diagnostic des médecins qui ne lui laissait aucune chance de rebander jamais, il avait même décrit, à l'aide d'un croquis, l'absence d'afflux sanguin dans les corps caverneux de sa verge ! Lui qui avait fait le deuil de sa virilité, lui qui avait gagné le lit d'Emma en se prétendant inoffensif, se retrouvait maintenant anéanti par la brutale confiance en lui-même que son membre lui donnait enfin. À l'orée de ses soixante ans, il dut en convenir devant les membres de la confrérie : il avait un problème sexuel.

Saint-Jean le vit quitter l'estrade pour reprendre sa place dans les rangs. Sans cet étonnant retournement, cet homme-là aurait emporté son secret dans la tombe. Philippe regrettait qu'il eût décidé de venir raconter son histoire à ce stade précis de sa liaison avec Emma, et non juste après lui avoir fait l'amour : épilogue inéluctable et prometteur en descriptions inattendues.

Un dernier intervenant se leva pour lire in extenso le journal de bord de son couple, comme s'il était le capitaine d'une expédition et sa femme son fidèle second. Denis Benitez avait respecté les usages en résistant à l'envie de quitter la salle avant la fin de séance. Sa présence au sein de cette confrérie n'avait plus de sens. Il n'y trouverait aucune réponse au grand mystère de la dérobade des femmes. Aujourd'hui, ce combat contre tant d'indifférence l'avait épuisé pour de bon, moralement mais aussi physiquement, il avait besoin de repos. Partir, s'exiler, seul et loin, mais surtout seul, seul, nom de Dieu, une vraie solitude, voulue et non plus subie, une solitude de qualité, une solitude exceptionnelle, classée en bonne place parmi les grandes solitudes de l'Histoire, un retour absolu à soi. *Elles* allaient bien voir, toutes, que l'on pouvait exister sans elles.

Sur le coup de vingt et une heures, les hommes quittèrent l'établissement pour la toute dernière fois. En attendant de se retrouver dans ce petit musée perdu près de la place des Ternes, Yves, Denis et Philippe se saluèrent à la hâte sur un coin de trottoir — aucun ne proposa de prendre un verre. Denis s'engouffra dans le métro, Philippe rejoignit la station de taxis, et Yves fila sur son scooter vers la place d'Italie. Sans doute le plus pressé des trois, il avait rendez-vous chez lui à vingt-deux heures avec une inconnue.

*

À 21 h 40, après avoir rangé le salon et refait son lit, Yves disposait glaçons et bouteilles sur la table basse. Au téléphone, Kris lui avait demandé avant toute chose comment il avait obtenu son numéro, puis elle avait annoncé ses tarifs. Elle lui avait parlé comme lui-même parlait à ses clients, avec le souci d'anticiper les mauvaises surprises. La vraie rencontre en revanche menaçait d'être plus délicate : que dire à une fille dont il ne savait rien, sinon qu'elle était blonde aux yeux noirs, et qu'elle *faisait presque tout*, aux dires d'un ami. Sans l'avoir jamais vécue, il redoutait la scène de la passe et ses clichés véhiculés par le cinéma, la littérature, l'inconscient collectif et les confidences de bistrot. On avait beau légitimer le plus vieux métier du monde, lui rendre hommage, une femme allait débouler chez lui pour lui ouvrir ses jambes et en repartir avec 250 €. Malgré son rejet de toute idée de romance, l'opération lui paraissait encore crue.

Christelle Marchand, la trentaine passée, exerçait depuis assez longtemps pour prendre les précautions d'usage avec les nouveaux clients. Elle ne recevait pas chez elle, ne racolait pas dans la rue, n'acceptait pas de rendez-vous dans des banlieues trop reculées, ni sans avoir la certitude d'un taxi de retour après vingt et une heures. Elle recrutait sur internet via des sites dûment sélectionnés et s'était constitué un réseau de clients qui lui en trouvaient toujours de nouveaux ; une moyenne de six par jour lui permettait de vivre sans redouter les fins de mois, le chômage, la crise et les krachs boursiers.

Elle arriva à l'heure, accepta un fond de whisky noyé dans le Perrier, glissa dans son sac les billets de cinquante pliés sur un coin de meuble, demanda à Yves s'il désirait quelque chose de particulier. Surpris, il répondit : *Non, le truc normal*. Détendue, le verre en main, Kris échangea avec son client quelques généralités sur l'imminence du printemps. Elle portait un épais blouson noir, zippé en oblique, décoré de surpiqûres aux épaules, une jupe à mi-cuisses, des cuissardes en daim noires. Il discerna l'innocence de ses traits et l'éclat d'une blondeur sous laquelle on devinait l'enfant qu'elle avait été. Elle se dirigea vers le lit en se déshabillant avec aisance, ses vêtements jetés pêle-mêle à terre. Yves découvrit une culotte lacée à l'arrière et un soutien-gorge de la même dentelle qui révélaient une peau claire et lisse. Il se dévêtit comme un adolescent emprunté, s'assit au bord du lit, puis se glissa sous les draps et enlaça ce corps attendu depuis trop longtemps, chaud d'exhalaisons où se mêlaient le sucré et l'aigre. Il aurait aimé prendre le temps de la contemplation, de l'émotion, profiter de son retour à l'essentiel, retrouver en une longue étreinte tout ce dont il avait été privé, mais son ardeur à la pénétrer le trahissait, et malgré lui ses reins cherchaient déjà un chemin entre les cuisses de Kris. Elle les débarrassa de l'étape du préservatif en quelques secondes et encouragea ce corps trop fébrile à entrer en elle. Prisonnier de ses jambes, incapable de résister à pareille emprise, aspiré tout entier, Yves se laissa entraîner à de furieux va-et-vient accentués par des mains qui agrippaient ses hanches. Elle précipita plus encore le mouvement par de terribles spasmes du vagin qui le contraignirent à jouir. Pendant qu'il se couchait sur le flanc en réprimant un râle, Kris avait déjà fait un nœud au préservatif qu'elle déposa dans une coupelle. Vidé, muet, Yves la vit se diriger vers la douche, en ressortir une minute plus tard, se rhabiller, légitimée par le devoir accompli, prête pour son prochain rendez-vous. Il eut la désagréable impression de s'être fait voler la meilleure part de cette volupté tant espérée. *Ne me raccompagnez pas*, dit-elle, satisfaite d'avoir bouclé son commerce en si peu de temps. *Vous avez mon numéro.*

Vexé qu'on lui ait réglé sa petite affaire aussi prestement, Yves resta affalé dans son lit, vaincu, le sexe pendant, redoutant déjà la terrible solitude à venir. *Je me suis fait baiser*, dit-il à haute voix, ricanant de lui-même. Durant quelques minutes, son corps avait été l'otage d'un autre, qui avait su, avec une douceur toute feinte, dicter une contrainte, et cette idée-là prendrait la pire part du dénuement qui l'empêcherait de trouver le sommeil.

Au moment de s'y laisser glisser, il dut reconnaître que lui aussi, parfois, s'était servi ainsi du corps des femmes.

*

À 2 h 10, la même nuit, Philippe Saint-Jean, allongé dans son lit, tournait mécaniquement les pages. Dix fois il avait commencé la lecture de ce petit ouvrage acheté l'après-midi, dix fois il en avait perdu le fil, absorbé par le souvenir de sa première rencontre avec Mia, ce dîner aussi snob qu'ennuyeux chez un ami commun. En apéritif, elle avait demandé une eau minérale inconnue mais *très populaire en Suisse*. Tout au long de la soirée, elle avait ponctué ses phrases d'involontaires anglicismes, « caractère » pour dire « personnage » ou « insécure » pour « inquiet ». Persuadé qu'elle était anglophone, Philippe lui avait demandé d'où lui venait sa belle peau mate, et elle avait répondu : *50 % provençale, 50 %*

réunionnaise, 100 % française. Plus tard, il lui avait servi de la salade roquette parmesan en décrivant avec amour le paysage de Reggio Emilia d'où provenait ce petit chef-d'œuvre de six ans d'âge ; sans daigner y goûter, Mia avait écarté les copeaux de fromage sur le bord de l'assiette. Et pour finir en apothéose, elle s'était longuement indignée du traitement infligé à une variété de lémuriens résidant dans le nord de Madagascar.

Aujourd'hui, elle lui avait semblé bien moins superficielle, presque réelle malgré des circonstances qui ne l'étaient pas. Une jeune femme qui, une fois débarrassée du fard et des projecteurs, était mue à coup sûr par les mêmes peurs et les mêmes aspirations que quiconque. Un être sans doute gouverné par son ego, mais qui ne l'était pas ?

Voir Mia croiser à nouveau sa route devait être interprété comme un signe, mais le signe de quoi ? Lui, le cartésien patenté, le rationaliste de service, lui qui pouvait tenir des heures sur la différence entre destin et déterminisme, n'imaginait pas cette deuxième rencontre comme le fait d'un simple hasard. Du reste, lorsqu'il se laissait tenter par une lecture psychanalytique des petits événements qui jalonnaient sa vie, il admettait volontiers que le hasard n'existait pas. Mia n'avait pas ressurgi sans raison. Dût-il ne jamais la revoir, il lui fallait trouver le véritable sens de ce qu'elle avait appelé une *coïncidence.*

*

Au même moment, Mia grimpait dans un taxi qui la reconduisait au Ritz. Après son interminable journée de tournage, elle n'avait pu éviter un souper avec des annonceurs qui l'avaient engagée au prix fort. Dès le lendemain, elle partait pour New York afin de procéder aux premiers essayages d'une ligne de vêtements de sport qui s'offrait les services de grands couturiers. Elle n'aurait pas le temps de revoir cet intello qui aujourd'hui lui avait fait une bien meilleure impression que la première fois. Il avait été lourd, ce soir-là, à s'écouter parler, à commencer des phrases par *Vous n'êtes pas sans savoir*, à donner un cours sur l'existentialisme pour les nuls, à faire des raccourcis entre les théories de Kant et le cinéma de Wenders. Mais après tout, à quoi bon empêcher un philosophe de raisonner, c'était comme de vouloir empêcher un lévrier de courir après un leurre, ou un saumon de remonter son cours d'eau. Cette rencontre la changeait de toutes ces vacuités vivantes qu'elle croisait à longueur d'année, des gens creux mais bien mis, tous un peu cyniques, tous affolés hors de leurs luxueux repaires. Elle en faisait partie, certes, mais parfois elle tentait de résister. Il lui suffisait de passer voir ses parents, près d'Avignon, pour se rappeler la vie des gens normaux.

Son père dirigeait toujours son entreprise de transports routiers, sa mère s'occupait de la grande maison, désormais vide, où Mia et ses frères avaient vécu une si paisible enfance. Quand leur célèbre petite n'annulait pas en dernière minute, un repas de famille était organisé en son honneur. La mère se mettait aux fourneaux, le frère aîné déboulait avec femme et enfants, Mia distribuait les cadeaux. De peur de prendre cent grammes, elle ne touchait à rien du pâté créole, du cari de porc au gingembre, du traditionnel gâteau de patate douce, à peine prenait-elle quelques crevettes nettoyées de leur rougail d'oignons. Mia répondait alors à une interview en règle. *Il paraît que tu vas faire la campagne Dior... Tu t'es engueulée avec Naomi ?... C'est bien toi sur l'affiche avec le sac à main, je t'ai à peine reconnue... Tu n'es plus avec le guitariste anglais ?* Où allaient-ils chercher tout ça ? Dans les magazines, à la télévision, au salon de coiffure ? Rien n'était vrai, ou bien largement déformé, mais plus question de dire : *Je suis toujours votre petite Mia.* Ses parents la regardaient comme leur totem depuis que, dans le quartier, on les traitait eux aussi en vedettes pour avoir engendré une créature aux mensurations frôlant le mystère mathématique. Parmi leur flot de questions, Mia redoutait celles concernant ses fiancés. *Non, je ne suis plus avec Untel.* En général elle se retenait d'ajouter : *Comment ai-je pu perdre six mois avec un con pareil ?* Un patron de network américain, vieux et marié, ou un tennisman espagnol, sans doute trop tennisman ou trop espagnol, mais le pire de tous avait été Ronnie, irlandais et non anglais, bassiste et non guitariste. Il avait très mal supporté qu'elle ait pris l'initiative de la rupture et s'était vengé en déclarant dans la presse people qu'à force de ne jamais se nourrir, Mia sécrétait un suc gastrique qui lui donnait une haleine de fox-terrier. Pendant des semaines, on lui avait parlé à un mètre de distance, parfois le visage de trois quarts. Elle n'avait pas su répondre à tant de mauvaise foi, pas même à ses parents qui avaient lu cette ineptie. Ils en avaient lu et entendu d'autres depuis qu'on voyait la photo de leur fille dans toutes les tenues. Des ragots, des ouï-dire, mais aussi des attaques directes, comme dans cette émission à grande écoute où un chroniqueur avait eu le bon goût de raconter une blague en présence de Mia : *Vous savez pourquoi les mannequins ont un neurone de plus que les chevaux ? C'est pour leur éviter de chier pendant qu'elles défilent*. Et tout le plateau s'était esclaffé. Elle avait fait bonne figure jusqu'à sa sortie des studios, puis elle avait fondu en larmes. Ce soir-là, elle aurait donné n'importe quoi pour se réfugier dans les bras d'un être bienveillant, loin des clans, des postures, des modes et des moqueries. *Quand nous présentes-tu quelqu'un de bien ?* lui demandait régulièrement sa mère. Quelqu'un qui ne lui ferait pas honte, quelqu'un qui ne serait pas mû par son obsession de la notoriété, quelqu'un de posé, de réfléchi, et qui, en paraissant à ses côtés, clouerait le bec à tous les persifleurs. Mais Mia avait bien peu de chances de rencontrer ce *quelqu'un de bien* dans des milieux idolâtres du glamour ou dans les soirées jet-set.

Ce quelqu'un-là n'était sans doute pas Philippe Saint-Jean. Mais comment s'en assurer sans le revoir au moins une fois ?

*

83

Tard dans la nuit, incapable de trouver le sommeil malgré l'épuisement, Denis Benitez décida de fausser compagnie à ses contemporains jusqu'à nouvel ordre. L'heure de prendre congé du réel avait sonné. Il avala trois somnifères tirés d'une boîte périmée depuis plusieurs mois. Demain, il n'irait pas travailler. Avec un peu de chance, il dormirait assez longtemps pour que ce lendemain se déroule sans qu'il en prenne conscience.

Sans doute se dirigeait-il vers un lieu inconnu, perdu, au centre de rien. Mais où il serait enfin seul. Et tant pis si ce lieu se révélait triste et désert. Denis était déjà bien trop las pour faire demi-tour.

4

Dans la chambre : un simple lit, une table de chevet, une chaise pour les visiteurs et, en surplomb, là où jadis on trouvait un crucifix, une télévision toujours éteinte. Le cadre n'avait pas d'importance, rien n'en avait, Denis dormait la plupart du temps. Au pire, il somnolait entre deux passages de l'infirmière, maintenu en apesanteur par une médication variable d'un jour à l'autre. Les rares fois où on le tirait de sa léthargie, une image floue entrait dans son champ de vision, le plus souvent un plateau repas, une blouse blanche, une poignée de comprimés dans un gobelet. Quand un interne pressé s'annonçait d'un retentissant : *Comment on va aujourd'hui ?* Denis s'interrogeait sur la notion d'« aujourd'hui ». Lorsqu'il était assez conscient pour mettre en corrélation deux idées à la suite, il essayait de retracer l'enchaînement cotonneux qui l'avait conduit jusque dans cette chambre nue et silencieuse où il ne craignait plus l'effondrement. Le reste, c'était de l'oubli, du vrai, celui qui happe. Le corps n'éprouvait aucune des sensations, agréables ou non, qui rappellent à la vie, à l'exception d'une seule. Au réveil, Denis retournait son oreiller pour goûter la fraîcheur sur sa joue ; le seul instant de la journée où les nerfs affleuraient sa peau.

Cette fin d'après-midi-là, un psychiatre se tint un long moment à ses côtés pour tenter de décrypter les origines de sa dépression. Les yeux mi-clos, le souffle calme, Denis répondait au praticien, certes bienveillant, mais si loin de la moindre piste. Comment délivrer à cet inconnu un message inavouable : en vivant sans aimer, il avait peu à peu perdu confiance en l'humain. Puis en lui-même.

Ils tombèrent d'accord sur le mot surmenage qui n'en appelait pas d'autres. Dès qu'il fut seul, Denis jeta un regard vers le jour déclinant et n'eut qu'à clore les paupières pour s'abîmer dans la nuit.

*

Des deux, ce fut Mia qui se manifesta. En aucun cas Philippe n'aurait pris l'initiative. La tradition galante qui commandait aux hommes de solliciter la compagnie des femmes n'avait pas cours dans le cas présent. Si Mia avait été de celles que l'on croise dans la vie quotidienne, il aurait fait le premier pas, puis tous les autres. Mais l'image de Mia peuplait les rues et les rêves de millions d'hommes, son seul prénom sonnait comme un label de luxe, son rayonnement traversait les frontières. Comment Philippe Saint-Jean, qui à la fois interrogeait et fuyait les valeurs d'un monde sacrifié au paraître, aurait-il pu briguer un objet de convoitise universel ? Un seul coup de fil au top model et il se rendait coupable d'allégeance. À l'inverse, il lui semblait naturel que la planète futile et tapageuse où vivait Mia fût attirée par la sienne, où la curiosité de l'autre restait intacte, où les réponses avaient bien moins d'importance que les questions.

Elle lui proposa de dîner dans un restaurant presque secret, fréquenté par une poignée d'initiés en mal d'anonymat. Comme à son habitude, Philippe arriva à l'heure et le regretta — à longueur d'année, sa fichue ponctualité l'obligeait à attendre des indélicats. On le dirigea vers un recoin feutré où le velours rouge le disputait à l'argenterie design, on lui proposa de choisir entre eau plate ou gazeuse, il opta pour la seconde comme un pis-aller à la bière dont il avait envie. Pour se trouver une attitude, il hésita entre étudier la carte et prendre une note, sans réelle nécessité, dans son calepin. Aux tables voisines, il repéra quelques visages connus sans les situer vraiment, hommes et femmes aux silhouettes parfaites, comme conçus pour le cadre. Dans son calepin, Philippe nota : *me réabonner à Paris Match*. Il jeta enfin un œil sur le menu, qui l'exaspéra d'emblée. Philippe n'avait rien d'un goinfre et se préoccupait peu de gastronomie, mais il détestait par-dessus tout le terrorisme diététique, ultime hypocrisie d'une poignée de nantis prêts à payer le prix fort l'angoisse de prendre un gramme. Il lui suffisait de lire *Saint-Pierre juste vapeur et son buisson de pousses de cresson 45 €* pour lui donner envie de rôtir en broche le cuisinier, avec une pomme dans la bouche.

Mia entra dans le restaurant comme une balle, claqua deux bises sur les joues de Philippe, ôta casquette de base-ball et lunettes noires, déposa son téléphone mobile sur la table et but d'un trait le verre d'eau fraîche qu'on venait de lui servir.

— Qu'est-ce qu'on fait, on se tutoie… ?

— Comme vous préférez, répondit-il afin de ralentir le rythme.

Philippe profita de ce court instant où elle ouvrait la carte pour la regarder de près, à peine maquillée, naturelle, mais toujours vigilante — Mia vivait en permanence avec un troisième œil qui la maintenait en état de représentation. Que l'on fût sensible ou non à ce type de physique, il lui était impossible de passer inaperçu. Une telle harmonie entre toutes les composantes du visage humain, bouche, yeux, nez, peau, ne pouvait être due au hasard et avait pour seule vocation d'être admirée. Ces lèvres pulpeuses, mais si fines aux commissures, ne lui servaient ni à parler ni à se nourrir ni à embrasser, mais à sourire aux hommes de bonne volonté. Ces yeux immenses aux éclats de saphir ne lui servaient pas à découvrir le monde mais à subjuguer les foules, toujours en recherche d'idoles païennes. Cette peau d'ambre et de cuivre, par l'infinité de ses reflets, réunissait à elle seule toutes les races. Philippe croyait au déterminisme de la nature qui toujours tendait vers un but précis : en faire profiter le plus grand nombre.

D'emblée, ils évitèrent de tomber dans les ornières du précédent dîner qui les avait opposés sur tout, quitte à sombrer dans l'excès inverse : l'autocritique appuyée, et l'hommage constant à ce que vivait l'autre. Mia regrettait un trop-plein d'agitation dans sa vie et craignait de passer à côté de l'essentiel. Philippe, lui, privilégiait sa tranquillité d'esprit mais redoutait une certaine inertie, prisonnier d'un confort intellectuel qui l'excluait de la tourmente contemporaine. Afin de trouver des terrains d'entente, ils se plaignirent de nuisances communes. Quand Mia évoqua les affres de la notoriété, il renchérit sur l'inévitable risque d'être *exposé*. Quand elle avoua une certaine confusion entre sa vie professionnelle et sa vie privée, Philippe regretta que sa mécanique mentale ne le laissât jamais en paix. Quand, à son tour, il mentionna la poignée de détracteurs qui mettaient en pièces le moindre de ses articles, elle invoqua cette presse indigne qui la traquait en permanence. Au fil de la soirée, leur bavardage atteignit un juste point d'équilibre ; quand l'un se risquait à la confidence, l'autre donnait un peu plus de lui-même. Ils comparèrent leur solitude, fatale chez l'une, nécessaire chez l'autre, éprouvante pour les deux. Ah, leur chère solitude ! Compagne de toujours, que l'on soit seul ou entouré. Solitude qui revenait plus fort encore après s'être bercé de l'illusion d'être deux. Mais avant de s'aventurer sur ce terrain-là, il leur fallait trouver une ambiance plus intime ; elle proposa d'aller boire un verre dans un autre de ses repaires.

Ils s'installèrent sur les banquettes en cuir beige d'un 4 × 4 Rover, avec chauffeur, que l'agence de Mia mettait à sa disposition. Après une journée grise et laborieuse, Philippe se laissait entraîner dans une spirale de luxe sans lui chercher de légitimité. Demain, il serait bien temps de remettre la soirée en perspective. À peine arrivée au Carré Blanc, Mia se jeta dans les bras du patron comme s'ils s'étaient mutuellement sauvé la vie, ce que Philippe prit pour d'indispensables simagrées mondaines, codes de reconnaissance, signes aigus de notabilité. On les installa au premier étage, dans un bar américain cossu où se croisaient d'impeccables serveurs en livrée, un air de jazz en fond sonore. Mia commanda un dry Martini bien tassé, gin Tanqueray et olive. Philippe se demanda où était soudain passée sa peur panique de la calorie et toute sa science du *light* et du *diet*. Mais peut-être que ces calories-là se comptabilisaient différemment puisqu'elles proposaient bien plus que de l'énergie, mais de l'apaisement ou du rêve, et l'on ne saurait se priver des deux.

— Il y a une boîte au sous-sol. On y a fait quelques fêtes mémorables.

Elle regretta cette phrase à peine prononcée ; *boîte*, *fêtes*, le contraire de l'image qu'elle voulait donner à cet homme. Même ce *on* était débile, que désignait-il sinon une poignée de princes décadents qui dilapidaient leur jeunesse dorée. Du reste, c'était dans cette boîte qu'elle avait rencontré ce salopard de Ronnie, qui l'avait traînée dans la boue dès le lendemain de leur rupture. Des *fêtes mémorables*, mais à quel prix. Mia se promit d'épargner tout nouvel accès de frivolité au philosophe.

À l'époque où il n'était qu'un étudiant en sciences humaines, Philippe aurait pu voir en Mia un formidable sujet de thèse. *Esthétique et représentativité de l'icône contemporaine.* De quoi prétendre aux félicitations du jury. Ce soir, au deuxième dry Martini, il posait un regard différent sur la célèbre créature pour la ranger enfin parmi ses semblables, des êtres complexes, aussi individualistes que grégaires, capables du pire mais souvent du meilleur.

— Dans mon métier, c'est la retraite à trente ans, dit-elle. J'en ai vingt-huit.

— Dans le mien, je suis encore loin de l'âge d'homme. J'en ai quarante et un.

Tout à coup, le regard de Mia fut attiré par une silhouette discrète qui, dans la pénombre, prenait place à une table proche de la leur.

— On dirait Bryan. Qu'est-ce qu'il fait à Paris ?

— Qui ?

— Bryan Ferry. Le crooner. Vous devez connaître.

Philippe se demanda si on lui jouait un tour.

— Il doit donner un concert, reprit-elle, mais je n'ai pas vu d'affiche. Ça vous dérange si je vais le saluer ? J'en ai pour une seconde.

S'agissait-il vraiment de Bryan Ferry ? *Le* Bryan Ferry ? Le Bryan Ferry de son adolescence ? Quand toute sa génération en était au funk électronique et au New Age, le jeune Philippe se passait en boucle les disques de Dylan, de Sinatra et de Bryan Ferry, tous trois considérés comme globalement datés, aux limites du ringard. Ce soir, dans ce bar de nuit, au moment où il s'y attendait le moins, le regard posé sur un monsieur de soixante-cinq ans, à l'élégance anglaise, à la voix de miel et de poivre, Philippe se souvint d'avoir été jeune.

— Lui et sa femme étaient venus me féliciter après un défilé pour Vivienne Westwood, à Londres, et nous avons sympathisé. C'est un monsieur charmant qui a des manières d'autrefois, et c'est bien agréable.

Nostalgique de l'adolescent qu'il avait été, Philippe recommanda un cocktail, qu'il but sans le savourer, comme l'adolescent qu'il était redevenu. À quoi bon, ici et maintenant, garder sa réserve de théoricien, sa vigilance ? Il buvait des dry Martini avec une des plus belles femmes du monde, à quelques mètres d'une figure qui avait enflammé sa jeunesse, quel besoin aurait-il eu de jouer les observateurs ? N'avait-il pas mieux à faire de cet instant-là ? Comme, par exemple, le vivre ?

Mia, à la fraîcheur intacte, gardait le cap de la conversation et entraînait Philippe vers des terrains bien moins innocents. Avec une adresse de bretteur, et sans qu'il s'en aperçoive, elle réussit une passe d'armes qui le contraignit à répondre :

— Dans mon cas, le problème ne se pose pas : je vis seul.

Une demi-heure plus tard, dans une contre-allée de l'avenue George-V, Mia proposa à Philippe de se laisser raccompagner par son chauffeur.

— Et vous ?

— J'ai une chambre ici, répondit-elle en désignant l'hôtel Prince de Galles. Et j'ai un shooting tôt demain. Certaines filles traînent toute la nuit et comptent sur les miracles du maquilleur. Moi, je compte plutôt sur mes neuf heures de sommeil.

Ils s'enlacèrent, s'embrassèrent avec ardeur.

Et se quittèrent satisfaits de s'être bien tirés de ce round d'observation.

*

Kris portait cette nuit-là une robe longue, dans les tons roux, à l'élégant décolleté carré. Ses cheveux réunis en queue-de-cheval ajoutaient à l'ensemble une touche d'innocence. Assise dans le canapé, les jambes croisées, toute prête à assurer la même prestation que la dernière fois, elle sirotait son verre de Perrier en cherchant des yeux les billets sur la table. Yves avait retenu la leçon et demandait plus qu'un coup tiré à la hussarde, quel qu'en fût le prix.

— Ça vous arrive de rester une nuit entière ?

— Toute la nuit ?

— Oui, toute la nuit.

— Il faut prévenir à l'avance.

— Vous avez d'autres rendez-vous après moi ?

— Je comptais rentrer me coucher et dormir jusqu'à midi.

— Je ne vais pas vous demander des trucs extravagants jusqu'à l'aube. Je me lève à sept heures et je pars travailler à huit. Donnez-moi votre tarif.

Persuadée qu'il négocierait, elle tenta 600 €. Il s'absenta un instant dans la cuisine et préleva douze billets d'une fine liasse retirée le matin même à la banque. *La somme ?* lui avait-on demandé au guichet. Il eût aimé répondre : *De quoi m'en payer une bonne tranche de huit heures avec une pro.*

— Vu qu'on a un peu de temps devant nous, je peux vous servir un autre verre, un vrai cette fois ? À moins que vous n'ayez faim ? Je dois avoir des choses à grignoter.

En préparant un plateau, Yves s'amusa à convertir 600 € en force de travail. À raison de quatre ou cinq fenêtres posées, il les aurait gagnés en moins d'une semaine. 600 €, c'était une somme. Avec, il pourrait partir quelques jours en vacances ou installer un vrai petit cinéma dans son salon. Il pourrait aussi les prêter à un collègue qui traversait une passe difficile. Au lieu de ça, il allait s'offrir le corps d'une femme dans sa plus secrète intégrité, mais aussi sa complaisance, sa docilité, sa science du plaisir masculin, et faire d'elle l'objet parfait de son désir, un outil de fantaisie, un terrain de jeu, un jouet vivant, un laboratoire à fantasmes. 600 €, c'était bien peu.

Depuis le divorce, son rapport à l'argent s'était inversé. Délivré de son obsession de l'économie, il traitait désormais les questions matérielles avec une totale désinvolture. De surcroît, il n'avait pas peur du chômage puisque le monde aurait toujours besoin de fenêtres, et quand bien même il se sentait capable de changer de métier du jour au lendemain. Il n'avait ni famille à charge ni aucun goût de luxe, ni croqueuse de diamants à entretenir, ni voiture de sport à bichonner, ni collection cubiste à étoffer. Alors que faire d'un bas de laine de 87 000 € ? Attendre les coups durs ? Cette assurance-vie était le dernier vestige de sa vie de couple, Pauline et lui en parlaient comme d'une entité, « les 87 000 », leur grand capital, de quoi se rendre crédible auprès d'une banque et pendre la crémaillère. Avec ces 87 000 €, il allait dorénavant tenter des expériences, se chercher, se surprendre, et peut-être, au bout du compte, en apprendre sur le Yves Lehaleur d'aujourd'hui. Les femmes en général et le sexe en particulier joueraient un rôle central dans cette quête de lui-même. Y avait-il meilleur investissement ?

Cette belle robe couleur d'automne finit par glisser à terre. Kris ne garda que ses bas, avant de s'étendre sur le flanc, accoudée à l'oreiller. Yves la flaira sous tous les angles, la retourna dans tous les sens, l'explora, dénicha ses replis intimes, ses accès. Il eut soudain besoin de s'insinuer en elle, et dans une position rêvée depuis trop longtemps, la levrette, la levrette, la levrette. Il hésita pourtant, jamais il ne l'avait suggérée à une inconnue, ça ne se faisait pas, certaines le lui avaient fait comprendre. Il résista donc à l'irrésistible, se coucha sur le dos, se laissa chevaucher. En la voyant aller et venir sur lui, il regretta ses scrupules : *C'est une pute, espèce de crétin*, une fille qui se fichait bien de la façon dont on la prenait. Kris s'arrêta un instant pour pivoter sur elle-même et reprit son mouvement, recréant sous un angle différent la position tant espérée. Yves tenta de résister à ce retournement inattendu mais éjacula avec une rare intensité. Kris noua le préservatif et le déposa dans un cendrier qui, lors de sa dernière visite, ne se trouvait pas sur la table de chevet. Toujours vêtue de ses seuls bas couleur chair, elle retourna vers la table basse pour se servir un verre d'eau, pendant qu'Yves se recroquevillait dans les draps, le front perlé de sueur. Elle emprunta un kimono, demanda la permission de fumer, puis se pencha à la fenêtre du salon, la cigarette aux lèvres. Yves hésita un instant à la rejoindre, mais préféra contempler au loin sa cambrure drapée de satin, ses cheveux dénoués sur les épaules, ses volutes bleutées qui s'échappaient dans la nuit.

Kris se demandait à quelle race d'hommes il appartenait. Manifestement célibataire, pas trop mal fait de sa personne, pas pervers, ni inquiet, ni violent, ni dépressif, ni méprisant, il ne rentrait dans aucune des boîtes dans lesquelles elle rangeait ses clients habituels, et elle n'aimait pas ça. Les hommes avaient cessé de la surprendre depuis longtemps, elle les voyait venir de loin et connaissait par cœur le rôle de salope, de confidente ou de mère qu'ils voulaient lui faire jouer.

Peu à l'aise avec sa nudité, Yves s'enveloppa dans un drap à la façon d'une toge et se servit un verre de bourbon, qu'il sirota dans une posture romaine. Des deux, ce fut Kris qui eut besoin de rompre le silence.

— C'est quoi, votre job ? J'aime bien savoir ce que font les gens.

— Je pose des fenêtres et des volets. Ça me va.

— Poser des fenêtres ?

— Accroître la luminosité, ou créer l'obscurité totale, isoler du bruit. Combien d'individus ont des insomnies parce qu'ils sont persuadés de rater leur vie, alors qu'ils ont seulement des fenêtres merdiques.

Kris se surprit à examiner l'embrasure en P.V.C. de la fenêtre à laquelle elle était accoudée, puis retourna s'asseoir auprès de son hôte. Elle renchérit sur le mot « bruit », se plaignit d'être réveillée par le rideau de fer du bistrotier en face de chez elle, puis égrena quelques généralités sur le brouhaha urbain. Yves l'interrompit pour lui demander d'ôter son kimono, ce qu'elle fit sans s'en étonner. En la voyant, les jambes croisées, le bas remonté sur la cuisse, évaluer le nombre de décibels que peut produire un enfant en bas âge, Yves se souvint d'avoir un jour demandé à Pauline de se mettre nue pendant qu'elle préparait un cake aux olives : elle avait refusé tout net. Il apporta quelques précisions sur les fréquences de la voix humaine tout en admirant les seins superbes de son invitée, ses hanches, son pubis, la lisière de son sexe, qu'il eut envie de sentir, d'embrasser à nouveau, et s'agenouilla à terre. Puis il se releva, la queue dressée à hauteur de la bouche de Kris, qui allait devoir interrompre un moment sa conversation.

Plus tard dans la nuit, la méfiance de Kris s'était estompée ; elle n'avait pas affaire à un vicieux qui avançait masqué mais à un type qui n'avait pas fait l'amour depuis trop longtemps. Contre toute éthique professionnelle, elle lui demanda pourquoi il faisait appel à une prostituée. Sans la moindre envie d'énumérer toutes les étapes qui les avaient réunis dans ce lit, Yves orienta sa réponse vers l'avenir et non le passé : il voulait connaître *tous* les types de femmes. Les élancées et les toutes petites, les plantureuses et les menues, les dames et les soubrettes, les demi-vierges et les briscardes, de toutes les origines, de toutes les couleurs de peau, sans parler des catégories qui lui restaient à découvrir. Comment un homme tel que lui, compte tenu de son espérance de vie, de son activité salariée, et de ses rares déplacements à travers le globe, pouvait-il forger pareil projet sans s'en remettre à la prostitution ?

Après réflexion, Kris admit qu'il n'avait pas d'autre choix.

Il jeta un œil à sa montre et décida de s'assoupir enfin. Pour la première fois depuis longtemps, il allait retrouver le plaisir de se réveiller auprès d'une femme. Dans un mouvement réflexe, il attira Kris à lui et l'enlaça par la taille comme il le faisait avec Pauline. Elle se méprit et s'imagina une dernière fois réquisitionnée : le coup de l'étrier du client qui en voulait pour son argent. Pour s'en assurer, elle eut à son tour un geste mécanique en plaquant sa main dans l'entrejambe d'Yves pour vérifier son érection.

Stupéfait de voir son accès de tendresse sanctionné par une palpation aussi dégradante, Yves se laissa envahir par une vague de fureur : on l'avait réduit tout entier à un sexe avachi, on l'avait ravalé au rang d'animal.

Il l'empoigna sous les aisselles, la souleva de toute sa rage, la propulsa avec une telle force qu'elle termina sa chute contre un mur avant de retomber à terre.

Kris resta clouée au sol, hébétée.

Depuis qu'elle se prostituait, elle s'était déjà vue éjectée d'un lit, mais jamais de telle façon.

Yves revint lentement à lui. S'approcha, main tendue.

Elle comprit ce qui venait de se jouer : il avait ressenti l'humiliation qu'elle-même subissait quand un rustre se permettait les plus odieux malaxages. Pour une fois, c'était elle qui avait commis un geste intrusif sur le corps d'un autre.

Encore tremblant, il la pria de l'excuser.

Non, c'est moi, dit-elle.

Aucun des deux n'eut besoin d'en rajouter, il fallait laisser cet instant-là se vider de son malaise, car cet instant-là était fondateur. De cette brutale étreinte, et non du sexe, venait de naître une étrange complicité. Faire l'amour n'avait pas été le plus court chemin pour se découvrir, mais plutôt cette guerre éclair.

Ils se couchèrent, se blottirent l'un contre l'autre, encore tremblants.

Tard dans la nuit, elle dit :

— Je peux te présenter Lili, une collègue avec qui tu vas t'entendre. Et Agnieszka si tu as envie d'exotisme. N'oublie jamais qu'une pute se méfie autant de toi que toi d'elle, alors débrouille-toi pour les mettre en confiance, parce qu'en cas de grabuge, c'est elle qui aura le dessus. Si elle te demande d'emblée ce que tu aimes, comme je l'ai fait, c'est pour se débarrasser de toi le plus vite possible. Si tu veux passer la nuit avec elle, ne paie pas à l'avance parce qu'elle va attendre que tu sois endormi pour partir en douce. Si je t'apprends à négocier, au bout de quelques nuits tu ne paieras plus le prix fort. Et si tu ne te venges pas sur les putes de tes petits malheurs, elles ne se vengeront pas sur toi de leur haine des hommes.

*

Dans un bistrot de l'avenue de Friedland, sur le coup de vingt-deux heures, Philippe Saint-Jean et Yves Lehaleur commentaient la séance qui venait d'avoir lieu, pour la troisième fois, dans leur petit musée. Le dernier intervenant s'était lancé dans un éloge des hommes mariés qui avait ébahi l'assistance. Il avait séparé les adultes mâles en deux clans, *eux*, les maris, et *nous*, les autres, incluant d'autorité une centaine de présents qui n'en demandaient pas tant. *Eux* étaient la norme, le cours naturel des choses, *nous* l'anomalie. En cette époque de désenchantement, de consommation débridée, de démission des idéologies et d'individualisme érigé en dogme, la plupart des hommes, disait-il, croyaient toujours à un engagement qui avait été celui de leur père, et du père de leur père. Ces millions et millions d'hommes avaient pris dans la leur la main d'une femme et prononcé des vœux sacrés dans une église ou une mairie, *alliance*, *pardon*, *assistance*, *fidélité*, et ce *jusqu'à ce que la mort les sépare*. Tout autre choix de vie paraissait bien triste en comparaison de celui-là. Avaient prêté ce même serment des fous, des sages, des bourreaux, des victimes, des gangsters, des religieux, des athées, des affameurs, des affamés, des tueurs en série, des pingres, des vagabonds. Alors pourquoi *eux* et pas *nous* ?

Philippe reconnaissait à cet homme-là un certain aplomb, et Yves un charisme qu'il aurait aimé posséder.

— Ce qui m'a plu dans son développement, ajouta Philippe, c'est sa façon d'avancer son idée de l'engagement comme un postulat de départ et non comme une sorte de révélation à l'occasion d'une rencontre. Le côté pascalien de la chose. La foi d'abord, le bonheur après.

Yves, bien incapable de s'aventurer du côté pascalien de la chose, regrettait que cette belle démonstration ne prît pas en compte l'évolution des époques et les tout nouveaux dangers qui guettaient les valeurs du couple, et parmi eux, le plus redoutable, le strip-teaseur. Car si depuis la nuit des temps la prostituée du bout de la rue mettait en péril la cohésion du mariage, le go-go dancer, lui, en était une menace toute récente. Les textes de loi, voire les serments bibliques, avaient besoin d'une vaste mise à jour.

Sur un ton plus sérieux, Philippe s'inquiéta de l'absence de Denis Benitez depuis trois séances.

— Il a peut-être trouvé la réponse qu'il cherchait, avança Yves.

*

Au retour de la clinique, la maladie, plus rapide que l'ambulance, l'attendait chez lui à son arrivée. Denis ne quittait son lit que deux fois par jour, vers quatorze et vingt et une heures, pour se préparer la seule nourriture qui ne lui levait pas le cœur, une lamelle de gruyère entre deux tranches de pain de mie, sans goût, sans odeur, mais assez substantielle pour éviter les maux d'estomac à chaque poignée de comprimés. Le reste, c'était du sommeil qui semblait ne rien réparer. Denis en était à ce stade où les causes de la dépression s'étaient perdues en route, mais la route continuait, traversait des zones insalubres, des tunnels interminables, pour aboutir dans un terrain vague où il stagnait des jours durant.

Les premiers temps, des collègues passèrent le visiter, toujours à deux pour se donner du courage. *C'est pas à nous que tu manques, c'est aux clients*. Denis les remerciait du regard, puis coupait le son du téléviseur dès leur départ pour s'endormir devant les images d'un monde aussi désenchanté que le sien.

Les jours suivants, Denis fit plusieurs tentatives de retour à la normale. Le scénario se répétait, identique ; il ouvrait l'œil avant midi, traversé d'une pensée folle : *Et si ce calvaire était terminé ?* Porté par un regain d'énergie, il arrachait son pyjama comme une peau morte, passait un pantalon, choisissait un polo, pas le rouge, pas le vert, surtout pas le bleu, peut-être le beige. Et puis, découragé par un grain de poussière, un reflet dans un verre d'eau, une mobylette qui vrombissait au loin, il se recouchait.

Un soir, pourtant, quand ses proches l'avaient déserté pour de bon, quand tout son corps avait atteint l'inertie absolue, quand la force de son abandon avait triomphé de toute forme d'espoir, il entendit sonner à sa porte.

Tiré de son sommeil, il crut d'abord à un tocsin sorti d'un lancinant cauchemar. Il se dressa sur ses oreillers, attendit un instant, n'entendit plus rien puis replongea dans le lit en priant pour y trouver des rêves moins sévères. On sonna à nouveau, longuement, de façon comminatoire : ce *on* ne partirait pas. Denis imagina une ou deux hypothèses, jeta un œil à la pendule qui marquait dix-neuf heures, se dirigea dans la pénombre vers la porte d'entrée, regarda par l'œilleton.

Il ne reconnut pas l'individu qui continuait de sonner avec insistance, au point de réveiller en Denis un sentiment d'exaspération : l'espèce humaine au grand complet se manifestait. Il allait devoir lui annoncer qu'il n'en faisait plus partie.

Il piétina le courrier passé sous sa porte, chercha l'interrupteur, eut le réflexe de poser l'entrebâilleur avant d'ouvrir. La lumière trop crue de la minuterie du palier lui agressa les yeux. Il approcha de l'embrasure son visage creusé par la maigreur et le sommeil, mangé par la barbe.

Une femme, habillée dans un imperméable gris, se tenait là, les bras croisés, un léger sourire aux lèvres. Ils se toisèrent un instant, lui, sortant péniblement de son aphasie, et elle, immobile, silencieuse. Denis se sentit sommé de retrouver l'usage de la parole plus tôt que prévu.

— Vous êtes de la clinique ?

— De la clinique ?

— On m'avait parlé d'une assistance psychologique... Quelque chose comme ça... Mais je n'ai vu personne...

Pour toute réponse, elle secoua lentement la tête sans quitter son discret sourire.

— Vous n'êtes pas psy ? Un truc dans le genre ?

— Non, je ne suis pas envoyée par la clinique.

— Alors c'est la sécu, c'est ça ? Un contrôle ? Je suis en arrêt longue maladie. Vous avez dû recevoir des papiers.

— Je ne viens pas non plus de la sécurité sociale.

— Qu'est-ce que vous voulez ?

— Je suis venue vous voir.

— Moi ?

— Oui.

— On se connaît ?

— Non. Enfin, je ne crois pas.

— Vous êtes une espèce d'assistante sociale ? Une aide à domicile ?

— Non.

— Si vous arrêtiez de me dire ce que vous n'êtes pas pour me dire ce que vous voulez ?

— On est obligés d'en parler sur le palier ?

— Écoutez... Je ne vais pas très bien, je vais me recoucher. Alors soit vous me dites ce que vous voulez soit vous me laissez en paix.

— Laissez-moi entrer, qu'est-ce que ça change ?

— Je ne vous connais pas !

— Vous avez peur de quoi ? Est-ce que j'ai l'air dangereuse ?

— Quelqu'un vous envoie ? Quelqu'un que je connaîtrais ?

104

— Non, personne. Je crois que vous et moi n'avons personne en commun. Allez, faites-moi entrer, quoi.

— Vous croyez que je fais entrer n'importe qui chez moi ?

— On aurait l'air moins ridicules.

— Moi, j'ai l'air ridicule ?

— Franchement, la tête dans l'entrebâilleur, comme une petite vieille...

— ... ?

— ...

— Vous vendez des trucs au porte-à-porte, c'est ça ? Dites-le-moi directement, on perdra moins de temps.

— Du porte-à-porte, moi ?

— Si ce n'est pas le cas, y a quoi dans votre valise, là ?

— Ce sont mes affaires.

— ... ?

— Allez, ouvrez cette porte, sinon quelqu'un va sortir de l'ascenseur et on aura l'air de quoi ?

— ... Tout ceci commence à devenir absurde, je vais vous prier de me laisser, et surtout, de ne pas resonner. Merci.

Il claqua la porte, irrité pour cent raisons ; on l'avait dérangé pendant qu'il déprimait tranquillement, on se présentait comme un paquet de linge sale, et surtout, on l'avait traité de petite vieille — il avait oublié que les humains étaient une espèce si redoutable qu'un seul spécimen était capable de déclencher plusieurs nuisances en même temps, et avec quelle opiniâtreté. La suite ne lui donna pas tort. On resonna.

Après s'être passé le visage sous l'eau, il but quelques gorgées d'une boisson éventée, enfila une robe de chambre, puis retourna ouvrir en prenant soin cette fois d'ôter l'entrebâilleur.

— Je ne suis pas en état, je pense que ça se voit. Alors pour la dernière fois, soit vous me dites ce que vous faites devant ma porte, soit j'appelle la police.

— La police ? Vous feriez ça ? Blague à part, vous le feriez ?

— C'est ce qu'on fait en pareil cas.

Il dut reconnaître en lui-même que pareil cas se présentait rarement.

— Faites-le si ça vous rassure, mais vous allez leur dire quoi, au juste ?

— Vous me demandez ça comme si vous aviez l'intention d'y assister.

— Je suis curieuse de vous entendre les appeler. « J'ai une fille devant ma porte, je ne sais pas ce qu'elle veut mais elle insiste… »

— Je me trompe ou vous êtes en train de vous foutre de moi ?

— Ils vont vous demander de me décrire, au cas où je serais une junkie en manque, une délinquante, que sais-je. Ils vont surtout chercher à déterminer un degré d'urgence, parce que j'imagine qu'ils ont autre chose à faire. « Elle porte un imperméable, monsieur l'agent… »

Mais aussi une paire de bottines anciennes, mi-cuir

mi-toile, et une écharpe en soie grise qui envelop-
pait tout le haut du corps.

— Si je ne vous ouvre pas, vous allez rester là
toute la soirée ?

— S'il le faut.

— … ?

— Laissez-moi entrer. Oh quoi, c'est pas
grand-chose.

— Qu'est-ce que je vous ai fait ?

— Rien du tout.

— Alors c'est quoi, l'embrouille ? Vous ne
savez pas où aller ? Vous voulez un peu d'argent ?

— Mais non ! fit-elle en haussant les épaules.
Vous me prenez pour qui ?

— Mettez-vous à ma place.

— À votre place, je m'aurais déjà laissée entrer.
Qu'est-ce que vous avez à perdre ?

De toutes les phrases qu'elle avait prononcées,
Denis s'arrêta sur celle-ci. Cette carcasse ankylo-
sée, recroquevillée jour et nuit au fond d'un ravin,
forcée d'avaler des trucs bleus, blancs et verts pour
chasser la douleur de l'angoisse, cet être sans joie,
sans énergie et sans illusion qu'il était aujourd'hui
avait-il autre chose à perdre ?

— J'ai beau être dans le cirage, je sais encore
repérer une situation grotesque. Je vais refermer
cette porte, mais d'abord vous allez me promettre
que vous ne sonnerez plus.

Elle marqua un temps et dit à contrecœur :

— Je ne sonnerai plus.

— Je vous en remercie, dit-il en refermant sans
plus de violence.

Sur le chemin de la chambre, il croisa une créature repoussante et fit un bond en arrière. Cette chose indescriptible, hirsute, voûtée, rachitique, débraillée, était apparue entre un battant de l'armoire et l'entrée de la salle de bains. Avant de se recoucher, il s'efforça d'affronter le monstre en question et fit face au miroir.

C'était donc *ça* qu'il était devenu ?

Honteux de cette ombre de lui-même, Denis l'accabla à voix haute, *Non mais regarde-toi, nom de Dieu !* et la traita avec le mépris que l'on réserve aux minables. Il eut la tentation de se raser, n'en trouva pas la force et retourna dans son lit, oubliant tout amour-propre comme on repousse une corvée. Par quel miracle cette fille bizarre n'avait-elle pas eu peur de *ça* ?

Il se pelotonna dans les couvertures, heureux qu'on lui foute la paix. Indignation, honte, colère, trop de sentiments à la suite pour un malade encore loin de sa convalescence. Et tant pis si cette fille bizarre emportait son mystère avec elle ; certains phénomènes ici-bas n'avaient aucune explication rationnelle, Denis payait cher pour le savoir.

Il tâtonna vers la table de chevet, saisit un tube, avala plusieurs comprimés avant l'heure habituelle. On l'avait dérangé dans sa retraite, il en était encore tout fébrile, l'oubli tarderait à venir. Il avait choisi la démission, pourquoi venait-on le contrarier ? Lui qui naguère s'était senti si bien dans ce monde, lui qui avait laissé une grande place à la fantaisie, lui qui avait aimé sa vie et qui avait osé le dire.

Aujourd'hui, il remerciait Dieu de l'avoir conçu mortel.

À quoi elle ressemblait cette fille, déjà ? Des cheveux mi-longs, d'un brun plutôt clair semblait-il, et puis ? Et puis rien, un visage banal, une silhouette dans un imperméable, un personnage insignifiant comme on en croisait cent dès que l'on commettait l'imprudence de sortir de son lit.

Denis s'assoupit un trop court instant puis ouvrit grands les yeux, rattrapé par un doute. Et si ce personnage insignifiant n'avait pas emporté avec lui son mystère ?

Il quitta son lit à nouveau, se précipita vers la porte, regarda dans l'œilleton : la silhouette se découpait toujours dans l'obscurité du palier.

— Vous allez m'attirer des ennuis avec les voisins.

— Pensez-vous, je viens de discuter avec une dame très sympathique, porte droite, elle ne paraissait pas du tout surprise de me voir attendre. Elle a dit : « Il doit dormir, il prend une médication lourde. »

— …

— Cela étant, je donnerais n'importe quoi pour m'asseoir un moment et boire un grand verre d'eau.

— Vous plaisantez ?

— C'est tout ce que je demande.

— Vous êtes qui, bordel ?

— Marie-Jeanne Pereyres, dit-elle en fouillant dans son sac à main.

Elle tendit sa carte d'identité. *Taille : 1,71 m. Née à Bois-le-Roi (Seine-et-Marne).* Sur la photo, elle avait les cheveux à peine plus longs et des lunettes rondes. À quelques années près, elle avait le même âge que Denis.

Si les antidépresseurs et les anxiolytiques n'avaient pas inhibé tout réflexe de peur, Denis se serait demandé si un malheur plus grave encore que sa dépression ne l'avait pas frappé. Cet étrange personnage venait peut-être le lui annoncer, il devait en avoir le cœur net.

— En admettant que je vous laisse vous asseoir un instant, vous allez enfin me dire ce que vous voulez ?

— Oui.

Elle put enfin franchir le seuil, posa sa valise dans un vestibule et découvrit un espace à l'abandon, étriqué, meublé d'un vieux canapé et d'une petite console recouverte d'emballages divers.

— Je peux allumer cette lampe ? demanda-t-elle pendant qu'il portait un verre sous le robinet.

Sans attendre la réponse, elle alluma, s'assit enfin, poussa un soupir de réconfort en se massant les chevilles. Elle but l'eau d'un trait et le remercia d'un sourire. Il débarrassa ce qui traînait sur la table, poussa divers objets dans le vestibule, remit un semblant d'ordre.

— Ne vous dérangez pas pour moi, dit-elle en défaisant les boutons de son imperméable.

— Gardez votre imper, et dites-moi ce que vous voulez, qu'on en finisse.

Fuyant le regard de Denis, elle hésita un instant. S'étant engagée à répondre, elle chercha la formulation la plus juste, la moins inquiétante. Elle choisit la plus simple.

— Je veux rester.

— ... Pardon ?

— Je veux rester.

— Qu'est-ce que vous entendez par rester ? Rester ici ? Chez moi ?

— Oui, ici. Je prends très peu de place.

— Vous êtes en train de me dire que vous avez forcé ma porte pour vous installer chez moi ? C'est bien le cauchemar que je suis en train de vivre ?

— Ne le prenez pas mal. Cette médication lourde doit peut-être enrayer vos facultés de jugement.

Vidé du peu de forces qui lui restaient, Denis dut s'asseoir un instant à ses côtés. La *médication lourde* lui jouait des tours. Il avait dû se tromper dans les doses, il avait dû confondre les comprimés bleus avec les blancs, il avait abusé des verts, il dormait déjà et le cauchemar allait s'estomper au premier réveil. La créature semblait pourtant faite de chair et d'os.

— Avant que je vous foute violemment dehors malgré la médication lourde, je vous laisse une chance de me dire ce que vous entendez par « rester ».

— Ce salon me suffit. Je peux dormir dans ce canapé. Je ne fais pas de bruit, je lis beaucoup. Si j'ai accès à la salle de bains une fois par jour, c'est bien. Je peux prendre mes repas dehors.

Tout à coup, l'accablement de Denis se mêla de tristesse, et cette tristesse entraîna avec elle un tas d'autres sentiments, tous contradictoires, tous trop violents pour un homme si las. Il ne put retenir une bouffée de larmes, éclata en sanglots et pleura, pleura comme un enfant frappé d'injustice.

Une éternité plus tard, il sécha ses larmes dans le mouchoir qu'elle lui tendait. Il poussa un long soupir d'épuisement.

— Je vais me recoucher, dit-il sur un ton presque doux. Je suis malade. Je suis fatigué. Je vais dormir très longtemps. Demain, quand je me lèverai, faites en sorte de ne plus être là.

Elle ne répondit rien et le vit s'éclipser dans la chambre. Denis s'effondra dans le lit et sombra dans le sommeil toute la nuit durant, puis toute la matinée.

Au réveil, le visage de cette femme lui revint en mémoire. Il se précipita dans le salon et la trouva allongée dans le canapé, un livre à la main.

Elle était restée.

5

La quarantaine révolue, Philippe Saint-Jean n'espérait plus vivre les joies de la clandestinité. Jamais il ne s'était engagé avec une femme au point de faire vœu de fidélité, sinon avec Juliette, qu'il n'aurait trompée pour rien au monde. Il n'avait donc rien connu de ces délicieux moments volés à la respectabilité, ni de la soudaine intrusion du romanesque dans la monotonie d'une vie, ni de l'inventivité dont il fallait faire preuve pour créer une intimité à l'insu de tous. Mia lui servait le tout sur un plateau d'argent, sans la culpabilité ni les mesquineries de l'adultère. Quand tout individu au monde attendait son quart d'heure de gloire, ces deux-là retrouvaient le sens du caché, comme les Roméo et Juliette d'une époque exempte de tout romantisme. Toutefois, le secret de leur idylle ne durerait pas car déjà des bruits couraient sur l'amitié particulière qui liait la belle et le penseur — ceux qui les avaient vus ensemble en avaient tiré d'inévitables conclusions et il suffisait maintenant d'un seul recoupement pour rendre leur liaison officielle. D'ici là, ils improvisaient des rendez-vous dans des enclaves dorées qui nimbaient de lumière leur anonymat.

Philippe trouvait cependant un peu baroque la décoration de ce balcon donnant sur une tour Eiffel scintillante de bleu. Un médianoche y était servi sur une petite table circulaire recouverte de roses rouges et d'œillets mauves, d'un bougeoir en verre, d'un petit buste de marquise, et de deux coupelles d'un caviar iranien que Mia dégustait comme un yaourt.

— C'est agréable de dîner à ciel ouvert, dit-elle, ça sent déjà les beaux jours.

— Tu arrives de Vancouver et tu t'envoles pour Sydney après-demain. Comment pourrais-tu avoir conscience qu'à Paris un été se prépare ? Moi, je l'espère depuis des mois, cet été, je l'ai vu se révéler jour après jour. En février, je me suis étonné qu'il fasse encore clair à dix-sept heures, et ça m'a mis de bonne humeur toute la soirée. Il y a encore trois semaines, j'ai hésité à mettre un manteau et suis sorti en veste, et je ne l'ai pas regretté. Cet été, il est à moi, je l'ai attendu, je l'ai mérité.

— Voilà une des raisons pour lesquelles j'aime ta compagnie. Il suffit qu'on dise « il fait beau » pour que tu te prennes le chou avec.

Dès leur arrivée dans la suite de l'hôtel George V, Philippe s'était exprimé sur quantité de détails auxquels Mia ne prêtait plus attention depuis que son agence la logeait dans les plus luxueux hôtels du monde. L'endroit, plus spacieux que son propre appartement, réveillait en lui une conscience de

114

classe — sensation délicieuse qu'il éprouvait rarement : s'étonner du mode de vie des privilégiés, les vrais, ceux qui se baignaient dans du marbre rose, se vautraient dans du Louis XV et s'abreuvaient de grands crus. Outre cette vie en première classe qu'elle lui proposait de partager, il profitait avant tout du précieux temps qu'elle lui consacrait lors de ses courts passages à Paris — compte tenu du prix que coûtait une heure avec Mia, rien que pour apparaître en public, il pouvait s'estimer flatté. Et quand elle le quittait pour défiler à l'autre bout du monde, il se surprenait à allumer son téléviseur pour guetter une publicité où on la voyait courir à demi nue à travers la Galerie des glaces de Versailles.

— Demain soir j'ai une réunion avec des créatifs qui ne devrait pas s'éterniser. Ensuite je dois passer à l'inauguration de l'espace Guerlain. Et j'ai promis à mon agence de prendre un verre avec le patron d'un groupe qui veut me confier son image de marque. Mais après ça, on pourrait se retrouver ?

Afin de préciser que lui aussi était un homme occupé, il répondit, en cherchant une note de mystère :

— Le jeudi, je ne suis jamais libre avant minuit.

*

— Bonsoir. Je m'appelle Laurent. Je suis un libertin.

L'homme au crâne rasé qui se présentait ainsi portait un complet bleu de bonne coupe, des chaussures montantes de cuir fin, et se tenait bien droit, les bras croisés face à son auditoire. Sa façon si naturelle de dire *Je suis un libertin* ne cherchait ni à surprendre ni à choquer.

— J'ai cinquante ans, j'achète des espaces publicitaires pour une chaîne de grande distribution alimentaire, je suis marié, j'ai deux filles. Depuis plus de vingt ans, le sexe occupe une place centrale dans ma vie. Une passion que je partage avec ma femme, mes amis, et qui occupe tout mon temps libre, mes soirées, mes week-ends, mes vacances.

Dans cette petite salle de projection, aux murs peints en noir, aux rangées de fauteuils rouges, on sentit tout à coup s'élever le niveau de concentration.

— Comme d'autres s'adonnent à l'aéromodélisme, au rafting, militent dans des partis politiques ou retapent leur maison de campagne, moi je fais l'amour. À toutes fins utiles, je précise que je ne suis pas un homme à femmes, ni un don Juan. Je ne chasse pas, je ne conquiers pas : je consomme. Ma femme et moi sommes des habitués des boîtes échangistes, mais nous organisons aussi des soirées privées avec divers cercles d'amis, qui eux-mêmes recoupent plusieurs réseaux. En outre, nous passons des week-ends chez des couples recrutés sur internet, et nous partons en vacances dans des clubs spécialisés où nous nous retrouvons entre adeptes. Quel que soit le contexte, nous arrivons ensemble, ma femme et moi, et nous repartons ensemble. Parfois, la soirée va plutôt être conçue pour m'être agréable, parfois c'est moi qui prépare une séance uniquement pour le plaisir de Carole.

Les hommes présents respectaient leur tradition de silence, même si la plupart se retenaient de crier : des exemples, bordel !

— Hier soir nous sommes allés dans une boîte en banlieue parisienne. Connaissant mes goûts, Carole a vite repéré deux femmes, et c'est elle qui a fait les manœuvres d'approche et me les a servies. J'ai passé la nuit avec les trois. Vendredi prochain nous allons à une soirée privée où le rituel veut que Carole soit au centre d'un groupe de quatre ou cinq hommes — c'est moi qui les sélectionne et qui veille à ce que tout se passe dans les règles — et dans ces cas-là, je ne suis que spectateur.

Celui qui se définissait comme un libertin était mû par un désir que la plupart des hommes ne connaîtraient jamais. Il se consumait d'une fièvre rare qui le poussait sans cesse vers de nouveaux corps, de nouvelles expériences, de nouvelles combinaisons, et vers une éternelle recherche d'extase qui faisait de lui l'heureux esclave de ses sens.

Comme les autres, Yves Lehaleur brûlait de connaître l'étendue de ses frasques et les limites qu'il fixait à l'interdit. Mais s'il admirait pareille frénésie, il ne la partageait en aucun cas. Certes, il lui aurait paru impensable de ne pas jouir d'un corps qu'il payait, mais loin de lui la prétention de donner du plaisir à une prostituée, ou d'obtenir des faveurs qu'elle n'accordait qu'à l'homme aimé. Son tout récent besoin de diversité ne comblait aucun appétit démesuré. Plus il les fréquentait, plus il réalisait que son plaisir véritable consistait à fissurer la carapace de ces femmes endurcies par tant de viols consentis.

Plus par orgueil que par bonté d'âme, il cherchait à retrouver la femme sous la putain, et à la soulager l'espace d'une nuit de son dégoût du client. En les invitant à se succéder dans son lit, il se sentait capable, lui, Yves Lehaleur, de trouver l'épicentre de chacune d'elles. Sa zone secrète, quelque part entre la tête, le cœur et le sexe, là où se trouvait cachée la clé de tout son être.

— Les rares fois où nous vivons des expériences hors de la présence de l'autre, reprit Laurent, c'est avec son consentement. Il m'arrive par exemple de jouer les « coachs sexuels » avec des femmes qui se plaignent de l'érosion dans leur couple avant même qu'il ait trouvé son plein épanouissement. Je leur propose alors de passer quelques après-midi avec moi, jusqu'à ce qu'elles connaissent tous les orgasmes qu'une femme peut connaître. Je fais en sorte que les inhibitions et les tabous disparaissent, que leur plaisir les rassure, les guide, et qu'elles puissent retourner vers leur mari pour partager, encourager et retrouver ce plaisir-là. En général, je n'entends plus jamais parler d'elles. De son côté, il arrive à Carole de passer la soirée avec un de nos amis qui souffre d'une particularité physique qui touche bien peu d'hommes : il est surmembré. Son sexe atteint une taille qui épouvante ses éventuelles partenaires, et Carole est sans doute la seule à ne pas le fuir.

Philippe Saint-Jean se retenait de saisir son calepin pour noter. Il avait croisé dans sa vie quantité de prétentieux, intarissables sur leurs performances, de vrais mâles qui éprouvaient le besoin de le crier haut et fort afin de s'en convaincre eux-mêmes. Laurent le libertin n'entrait pas dans cette catégorie ; sa façon directe et prosaïque d'évoquer sa *passion* ne cherchait pas à convaincre, et pas un seul instant il ne se trahissait par une ponctuation égrillarde ou un sous-entendu : le contraire du pervers. Dans les milieux que fréquentait Philippe, on pratiquait peu mais l'on glosait beaucoup ; on citait Restif de La Bretonne et Bataille, on opposait les infortunes de la vertu aux prospérités du vice, on dissertait sur le cinéma érotique japonais, on racontait même des blagues salaces mais toujours sauvées par un troisième degré. Comme les autres, Philippe avait séjourné dans l'enfer de sa bibliothèque et n'en était pas vraiment revenu. Dans son essai sur la conscience collective, il avait inclus tout un argumentaire sur la persistance du tabou, mêlant brillamment aux théories freudiennes les sept divisions du *Kamasoutra*. Mais tant de vues de l'esprit passaient rarement par le filtre de l'expérience. Que de littérature pour bien peu de frissons ! admettait-il ce soir, face à Laurent le libertin. Il mesurait soudain tout le conventionnel de sa propre pratique, car dans un lit, il n'était ni audacieux, ni très inventif, ni même sûr de lui, pas plus que ne l'étaient les autres hommes, pas plus que ne l'étaient les femmes. Mais, après tout, à quoi bon s'en inquiéter ? Personne n'était Laurent ni Carole les libertins, sans cesse agités par leur quête éperdue de plaisir. Et rien, pas même un fantasme d'ultime extase, ne remplacerait la fantaisie et la légèreté des nuits qu'il passait avec Mia. Dès leur toute première, elle avait piqué un fou rire à force de le voir étudier chaque partie de sa célèbre anatomie — en lui caressant les jambes, il avait précisé : *Je les connais déjà, je les ai vues dans* L'Express. Le comble avait été atteint quand il s'était extasié sur les « trois ocres » de son sexe, avouant que faire l'amour avec une métisse était une grande première. L'espace d'une nuit, le corps de Mia lui avait fait oublier celui de Juliette.

— Ce que je vais dire va sans doute sembler paradoxal, mais je crois que seuls les libertins ont véritablement atteint l'égalité des sexes. Aucun de nous deux ne se sacrifie, ne cherche de compromis, ne simule ni ne dissimule, ou ne se force à faire plaisir à l'autre. J'ajoute que, malgré nos partenaires multiples, jamais nous n'éprouvons de plaisir plus intense que quand nous nous retrouvons tous deux, seuls, à la maison, dans notre lit. L'amour que j'éprouve pour Carole reste le plus puissant aphrodisiaque que je connaisse.

L'auditoire, conquis jusqu'alors, s'interrogeait maintenant sur la présence du libertin dans les murs. Si malgré ses propos crus il ne s'était jamais montré indécent, il risquait de le devenir s'il persistait à faire étalage de son bonheur conjugal et de ses talents de queutard. À moins qu'il ne justifie au plus vite son passage dans la confrérie, elle allait voir en lui un odieux provocateur, et l'on assisterait peut-être ce soir à une toute première tentative de lynchage.

Pour n'avoir rien écouté depuis le début de la séance, Denis Benitez n'attendait rien de la suite.

Et pourtant, après de longues semaines, il était présent. À la brasserie, on avait salué la renaissance de l'enfant prodigue, moins souriant qu'à l'habitude, mais prêt pour une convalescence active — servir un poireau vinaigrette avec un chou farci à suivre était pour Denis une preuve tangible de son retour au réel. À raison de trois cents couverts par jour, il renouait avec l'espèce humaine. Il acceptait les doubles services et s'attardait même après la fermeture ; l'énergie ne manquait pas. Tous y voyaient un souci de rattraper le temps perdu et tous se trompaient : il fuyait son appartement depuis qu'une intruse s'y était installée.

Le soir même où cette créature avait posé le pied en travers de sa porte, les dernières certitudes de Denis s'étaient effondrées. Les quatre murs qui le protégeaient du dehors étaient aujourd'hui le théâtre de situations absurdes et démesurées. Le refuge était devenu la zone dangereuse, et le vaste monde extérieur, le refuge. Ah si les hommes de passage dans cette confrérie savaient à quel point leur histoire, qu'ils pensaient exceptionnelle, paraissait bien insignifiante comparée à son calvaire ! Mais si à l'époque on l'avait écouté avec apitoiement, on l'aurait pris cette fois pour un désespéré que son célibat avait plongé dans la confusion mentale.

Après un léger silence qui annonçait un épilogue, Laurent se demandait lui aussi pourquoi il avait éprouvé le besoin de raconter sa vie intime à des inconnus, jaloux de sa saine débauche.

— Je fais partie de ceux qui croient que toute vie terrestre est soumise à une logique et un équilibre, que tout bonheur a son prix, que toute médaille a son revers, même si nous n'en prenons conscience qu'à l'heure du dernier bilan. Après avoir fait l'amour avec un millier de femmes, j'ai peut-être contredit une loi naturelle et je pourrais craindre une contrepartie, je pourrais m'attendre à faire le sacrifice d'un bien précieux. Au jour d'aujourd'hui, je ne saurais dire lequel. Mais je vous promets que si pareil malheur me frappe, vous en serez les premiers informés.

*

À peine les bières servies, Denis, Philippe et Yves trinquèrent à la santé de Laurent le libertin et lui rendirent hommage comme s'il était présent.

— Ce soir encore, je viens d'apprendre quelque chose, dit Yves. Les femmes, ça conserve !

— Pas tout à fait, ajouta Philippe. Ce qui conserve, c'est de ne pas se prendre le chou avec elles.

Il avait à dessein utilisé une expression de Mia qui prenait sa place en pareil contexte. Dans un cercle littéraire, il aurait sans doute formulé de manière différente cette idée que seuls les très rares hommes affranchis à la fois de leur émotivité, de leur jalousie, et de leur instinct de prédateur atteignaient l'éternel bonheur de la chair.

Denis acquiesça d'un sourire. Que n'aurait-il donné pour une once de désinvolture avec les femmes ? Cesser de voir en elles des êtres tantôt magiques, tantôt diaboliques, pour les considérer comme des individus à la mécanique certes délicate mais pas plus complexe que la sienne.

Le verre à la main, ils bavardèrent sans plus rien évoquer de la séance passée. Aucun n'aborda de sujet trop personnel, ni ne se montra curieux du devenir des deux autres, et pourtant, depuis leur rencontre, chacun avait vécu des événements bien plus déroutants que ceux évoqués en public.

Philippe résistait à l'envie de raconter sa nuit avec l'une des femmes les plus convoitées au monde — et quel homme ne rêverait d'un pareil aveu entre deux mousses ? Rendre jaloux les copains importait moins que le besoin de décrire, pour la toute première fois, cette liaison extravagante. Passé un moment de stupeur, il aurait répondu à leurs questions pressantes, moins par forfanterie que pour voir sa belle à travers les yeux du quidam. Par superstition, il aurait commencé par *Tout nous sépare*, parce qu'il avait appris à ses dépens que les histoires qui commençaient par *Nous sommes faits l'un pour l'autre* tournaient court. Il aurait déclaré aussi ne pas être amoureux : *Je suis sujet au coup de foudre et ça n'en est pas un*. Ni Denis ni Yves ne l'auraient cru et, pour les en convaincre, il leur aurait raconté son tout premier, à l'âge de dix-huit ans. Deux années de passion, suivies de trois mois de vie commune dans une chambre de bonne pour s'en guérir. Près de dix ans plus tard, il y avait eu Juliette. Tout ce qui avait suivi depuis dans la vie de Philippe n'avait été qu'une ère post-Juliette, un après. Même Mia faisait partie de cette suite, mais la plus délicieuse, la plus inespérée. Denis et Yves l'auraient sommé de la décrire *en vrai*, et Philippe aurait tenté cet exercice imposé, mais comment décrire Mia sinon comme une demoiselle capable de simplicité, avec la naïveté d'une jeune femme de son âge, et le caractère aguerri d'une jeune femme de son époque ? Encombrée par l'image que le monde lui renvoyait d'elle-même, mais consciente que tout ce tintamarre ne durerait pas, et que déjà la vie lui réservait des épisodes bien plus authentiques. Au risque de les déconcerter, il aurait dépeint une créature aquatique, insulaire dans l'âme, qui même en plein Paris vivait comme au bord de l'océan. Ainsi la voyait-il, ce jeudi soir-là, mais Philippe ne romprait pas leur pacte et maintiendrait leur idylle secrète le temps voulu.

Le secret d'Yves, bien moins romantique, n'en était pas plus avouable. Si une femme était apparue dans sa vie, il n'aurait pas hésité à s'en réjouir devant témoins, mais dix ? Quel prénom choisir ? Celui de Sibylle, de Claire, de Jessica, de Samia ? Comment présenter Sibylle sinon comme une brune aux yeux gris, la quarantaine, un corps capable de prendre des poses d'une indécence interdite par la loi ? Et que dire de Lili, la cérébrale Lili ? Avant que d'être une paire de fesses, elle était une épaule où se réfugiaient les hommes en perdition — un gars comme Yves qui, au lieu d'aller draguer, payait des prostituées pour la nuit, en avait forcément gros sur le cœur. Mais les questions qu'elle lui avait posées renseignaient surtout sur elle-même, et si Yves avait tenu bon en ne prononçant jamais le nom de Pauline, Lili avait craqué en décrivant les avanies que son ex-mari lui avait fait subir. Claire avait été plus réservée, presque timide, sans doute honteuse de se prostituer, avouant son manque d'expérience à Yves qui en avait si peu. Elle avait improvisé des gestes qu'elle pensait être ceux d'une pro, tous maladroits. À n'en pas douter, il avait été un de ses tout premiers clients, et sûrement l'un des derniers. Puis il avait rencontré Jessica par l'entremise de Sibylle, Samia lui avait été envoyée par Jessica, mais à toutes celles-là, Yves préférait déjà Agnieszka, qu'il ne connaissait pas encore, mais dont Kris lui avait vanté les charmes.

Pas plus que celui de Mia ou de Kris, le nom de Marie-Jeanne Pereyres ne serait prononcé ce soir. Denis, qui avait tu les raisons de sa maladie, aurait été incapable de donner celles de sa soudaine rémission. En s'installant chez lui, l'intruse l'avait dépossédé du droit de se plaindre. Sa longue détresse avait fait place à une indignation qui réveillait ses facultés de résistance ; échafauder des hypothèses sur la présence d'une intruse chez lui avait pour mérite de dégripper ses rouages mentaux et de lui donner à nouveau l'envie d'en découdre.

En commandant la troisième tournée, ils prolongèrent le rituel d'après-séance. Ces trois-là avaient plaisir à se retrouver mais ne s'en doutaient pas. Philippe Saint-Jean, dans sa vie de tous les jours, croisait rarement des Yves Lehaleur ou des Denis Benitez. Il avait beau prôner l'éclectisme roi et redouter la dégénérescence des milieux consanguins, il prenait rarement le temps d'échanger avec l'homme de la rue à moins d'en tirer un bénéfice immédiat — son caviste, son installateur en informatique et son O.R.L. pouvaient se vanter de le connaître. Enfin débarrassé de son rôle de penseur, de ses travers de dialecticien, il goûtait la douce futilité des bavardages de bistrot. Denis Benitez appréciait la manière dont *l'intello* s'interdisait de juger mais restait attentif, prompt à apprendre quelque chose — et quand bien même il s'agissait d'une posture, l'échange semblait sincère. Il appréciait tout autant le franc-parler d'un Lehaleur, son indépendance d'esprit, et son peu d'inclination à vouloir pisser plus loin que tout le monde. De fait, Yves savait éviter les habituelles conversations de garçons et tous les sujets où pouvait s'exprimer leur indécrottable fascination pour la performance. Il remerciait Philippe et Denis de lui épargner les poncifs du genre, et la pénible connivence des hommes entre eux.

*

Selon toute vraisemblance, Marie-Jeanne Pereyres s'était introduite chez Denis pour se venger : y avait-il une autre explication à pareille ingérence ? Sans doute payait-il une faute grave commise naguère. Vers l'âge de vingt ans, avec un comparse, ils avaient fait un tour de France des établissements de nuit et s'étaient fait embaucher comme serveur ou barman. Trois mois à Marseille, deux à Antibes, autant à Montélimar, dix jours à Bordeaux — mais quelle décade ! — et de courts séjours partout où l'on voulait d'eux, y compris là où l'on n'en voulait

126

pas. Ils s'étaient rempli les poches, ils avaient forniqué comme des diables et déguerpi à l'aube, ils avaient joui de leur jeunesse jusqu'à l'épuisement. Combien de Marie-Jeanne Pereyres avaient-ils croisées, séduites, enivrées et trahies en toute impunité ? Comment ne pas s'attendre à ce que l'une d'elles demande des comptes près de vingt ans plus tard ? Denis, rattrapé par son inconduite juvénile, ça tenait debout. L'intruse était bien du genre opiniâtre, impossible à détourner de son but, et quand ce but était la vengeance, la sanction tombait, inéluctable, et plus fort encore à mesure que les années passaient. Peut-être que les femmes étaient, sur ces questions-là, plus rancunières que les hommes, et que bien des crimes restaient imprescriptibles.

L'intruse était allongée de guingois sur la banquette, la chemise de nuit jusqu'aux genoux, les chaussettes blanches relevées sur les mollets. Des lunettes sur le nez, elle lisait un ouvrage qui ressemblait au guide touristique d'un pays lointain.

— Vous rentrez tôt, ce soir, dit-elle sans quitter sa position alanguie.

— On dirait que ça vous dérange.

— Pas du tout, je m'étonnais juste. D'habitude vous finissez votre service passé minuit.

— D'habitude ? Quelle habitude ? Qu'est-ce que vous savez de ma vie et de mes habitudes ? Est-ce que vous imaginez seulement ce que je faisais ce soir ?

— Aucune idée.

— Eh bien, j'ai passé la soirée à fouiller dans ma mémoire et ne vous y ai pas retrouvée. Nous

nous sommes peut-être déjà rencontrés auparavant, mais il m'est impossible de savoir où et quand, et vous savez pourquoi ?

— Non.

— Parce que vous ne ressemblez à rien. Et je ne dis même pas ça pour vous blesser.

Denis l'avait étudiée de pied en cap, épiée dans son sommeil, revêtue de tant de panoplies différentes : aucun souvenir de Marie-Jeanne Pereyres.

— À rien de rien ?

— Tout le monde a quelque chose qui le singularise. Vous, non. Votre silhouette est de celles que l'on croise tout au long de sa vie, dans des rues ou des couloirs, mais qui n'impriment ni la rétine ni la mémoire. Vous faites partie de ces gens dont on se dit que peut-être ils existent quelque part, mais on ne veut surtout pas savoir où. Pour moi vous résumez à vous seule ce que sont *les autres*. Vous êtes une entité floue, incertaine, au mieux pourrait-on vous caractériser en vous désignant comme femme, mais votre spécificité s'arrête là. Justement sur ce point, vous ne me croirez pas mais en général j'ai une sorte de don pour décrypter les femmes, je sais d'où elles viennent et où elles vont, je perçois d'instinct ce qui leur manque, ce qu'elles désirent le plus. Avec vous, je ne vois rien, rien du tout, j'ai beau vous regarder bouger ou dormir, vous ne dégagez aucune vérité particulière, rien dans votre physique ne donne la moindre indication, vous êtes indescriptible. Par exemple, vous donnez l'impression d'être brune, disons châtain clair, la couleur indéfinissable par excellence, comme les murs gris et les imperméables mastic. Mais à la lumière artificielle, vous paraissez blonde, d'un blond pas franc, pas assumé, pas une blondeur de blonde. De la même manière, il est impossible de dire de quelle couleur sont vos yeux, et pourtant les yeux sont censés éclairer un visage, restituer une lumière intérieure, eh bien chez vous, non. Vous êtes apparemment de taille moyenne, en vous voyant arriver de loin on pourrait dire : « Regardez cette petite dame, là-bas », mais quand on vous trouve recroquevillée sur cette banquette, on a l'impression que vous ne savez pas comment caser vos jambes. Les traits de votre visage pourraient correspondre à n'importe quel profil professionnel ; vous n'avez pas la tête de l'emploi, vous avez la tête de tous les emplois. On peut vous imaginer en assistante dentaire, mais aussi en cadre supérieur, le genre pressé, qui a une vie intense, ou chef d'une équipe d'hôtesses pendant un congrès ou un salon de l'auto.

— Mes yeux sont verts.

— Ah non, ça vous fait plaisir de le penser mais c'est faux. Ce vert-là tire sur le marronnasse, il vous donne le regard de tous ceux que l'on a oubliés. Vous n'êtes même pas laide. Un physique dont on pourrait dire : « Mon Dieu que cette fille est vilaine », ce serait un moyen de frapper les esprits, de vous rendre identifiable, mais même pas. Alors si je vous ai déjà croisée dans une autre vie, vous avez immédiatement quitté ma mémoire en sortant du décor.

En le voyant à son tour sortir du décor pour se réfugier dans sa chambre, Marie-Jeanne, stupéfaite, répondit dans le vide :

— Si l'on s'était connus par le passé, moi je ne vous aurais pas oublié…

*

— Tu verras, elle fait l'amour en version originale, et elle sait boire. Ne lui propose pas le mariage, elle serait capable d'accepter, mais pas pour tes beaux yeux.

Yves n'avait su résister au portrait que Kris avait fait d'Agnieszka. Rendez-vous fut pris pour un samedi après-midi, avec en perspective, si affinités, un week-end à huis clos. Il ouvrit sa porte à la plus jolie surprise de ces dernières semaines : des yeux comme des perles noires dans un écrin de blondeur, des pommettes saillantes, des lèvres de corail. La belle Polonaise ôta son imperméable, découvrit ses épaules, fit jaillir son décolleté, lissa sa robe de satin sur ses hanches, puis s'installa dans un fauteuil, attendant de son hôte qu'il prenne la direction des opérations. Yves se lança dans une longue phrase d'accueil à laquelle elle ne comprit que le mot *thé*, qu'elle accepta d'un simple *yes*.

— Depuis combien de temps vivez-vous en France ?

— … ?

— In France ? Long ago ?

— *Un on*, répondit-elle en dressant le pouce.

— On dit toujours que les gens qui vivent dans les pays de l'Est sont doués pour les langues.

— … ?

— Je parle aussi peu l'anglais que vous le français. Just a little english.

D'un hochement de tête, elle reprit ce *little* à son compte. Ils se sourirent à nouveau puis dégustèrent leur jasmin brûlant dans un silence impossible à meubler. Afin de chasser un soupçon, il demanda :

— Est-il réellement possible de se prostituer sans prononcer la moindre parole intelligible ?

— … ?

— Ou bien me prenez-vous pour un demeuré ?

— … ?

— Peut-être parlez-vous bien mieux le français que vous ne le prétendez, afin de profiter d'un avantage qui pourrait avoir son importance par la suite ?

Agnieszka craignit d'avoir affaire à un de ces clients qui éprouvaient le besoin de raconter leur vie, de déballer ce qu'ils taisaient à leur femme, de bavarder pour cacher leur nervosité — le week-end s'annonçait comme un interminable malentendu. Elle savait livrer son corps à de parfaits inconnus sans rien avoir à leur dire.

— Czy pan chce, żebym została na cały weekend ? dit-elle en montrant l'horloge murale.

— … Je pensais que c'était d'accord avec Kris. Vous voyez, Kris ?

— Tak, tak, Kris, jest tak jak się umawialiśmy. All week-end ? To jest ciągle aktualne ?

— Jusqu'à lundi matin, c'est possible, pour vous ? Monday morning ?

— Yes, monday morning, ok.

Sans recompter, elle rangea dans son sac les billets qu'il lui tendit. Puis il y eut un dernier sourire et un nouveau silence, chacun attendant que l'autre les soulage d'une chape de gravité. La belle muette ne se décidait pas à prendre elle-même le chemin de l'alcôve, le seul geste qui, selon Yves, eût pu se faire sans mot dire, et dont toutes les autres le dispensaient ; Kris s'installait dans son lit comme une maîtresse de toujours ; Marie-Ange enlevait ses chaussures à peine arrivée ; Samia disait : *J'ai mis un truc spécial, tu veux voir ?* ; et la frénétique Céline passait d'autorité la main sous la chemise d'Yves pour lui caresser le torse. Agnieszka se contentait d'attendre, habituée à ce que le barrage de la langue l'affranchisse de toute initiative. Yves s'en irrita presque, estimant payer assez cher pour ne plus avoir à accomplir cette manœuvre qui lui rappelait ses atermoiements de jeune homme, et qui l'avait peut-être empêché de vivre une carrière de Casanova — saura-t-on combien d'hommes s'étaient mariés pour ne plus se contraindre à ce geste-là. Ce tout premier instant d'intimité, signal de tous les autres, où le mâle se doit d'oser, au risque du camouflet, du rejet, d'une méprise. Cette impulsion qui, à force d'être préméditée et sans cesse repoussée, n'en était jamais une. L'homme qui payait les femmes n'avait plus à en passer par là, nom de Dieu, et pourtant, ce soir, Yves dut se résoudre à prononcer quelques mots qu'elle ne comprendrait pas mais dont l'intonation ne laissait aucun doute.

Elle fit glisser à terre sa robe, ses bas, puis se coucha dans son ensemble caraco et boxer short en soie noir. Redoutant de n'être pas compris, Yves se retint de dire : *Prends-moi dans ta bouche, là, tout de suite*, et posa la main sur la nuque d'Agnieszka, la dirigea vers sa queue qu'elle aspira d'un coup. Il s'abandonna un moment, puis caressa à travers le tissu le dos de sa partenaire, insinua la main dans son short, qu'elle ôta sans délaisser son ouvrage. Il attira à lui cette croupe et frotta son visage contre un sexe chaud, ruisselant, déjà ouvert, et ce geste-là lui parut bien plus naturel que tant d'autres.

*

— Mia ? Je te propose de passer le week-end dans un lieu qui serait pour toi un sommet d'exotisme.

— Tu sais que pour m'épater en matière d'exotisme…

— Un lieu chargé d'Histoire, qui serait à sa manière comme une synthèse de toutes les cultures humaines. Plein d'un savant désordre, mais propice à l'introspection. Un des très rares espaces au monde encore préservés du chaos des technologies, où l'on peut s'écouter penser, où l'épure du décor favorise la paix intérieure.

— Où ça ?

— Chez moi.

Son trois-pièces au cœur du Quartier latin gardait malgré les années un faux air bohème. Un parquet grinçant, des murs recouverts de bibliothèques et de dossiers, une odeur de papier journal et d'encens, une cuisine de vieux garçon, une chambre à coucher d'étudiant. Pour Philippe, il s'agissait d'un test : Mia était-elle prête à se passer de son habituel confort de V.I.P. pour s'immerger dans un univers à l'opposé du sien ? Était-elle, tout simplement, curieuse de lui ?

Elle arriva le samedi en fin d'après-midi, se posa dans un fauteuil hors d'âge et n'en bougea plus, comme prisonnière d'une citadelle de savoir.

— Sais-tu que se sont assis dans ce fauteuil tout ce que la France compte d'esprits critiques ? Des éditorialistes encartés, des chercheurs persévérants, des essayistes désenchantés, des ethnologues centenaires, des biographes impitoyables, des universitaires affligés, des catastrophistes bons-vivants, des crypto-nietzschéens, des postexistentialistes, des visionnaires désabusés, des académiciens toujours verts, et même un ou deux ministres en mal de repères. Tu es sans doute la première top model.

Mia, fascinée par tant de rigorisme, légèrement étourdie par l'écrasante quantité d'ouvrages autour d'elle, posa la plus prévisible des questions :

— As-tu vraiment lu tous ces bouquins ?

— Presque tous. Pour les autres, c'est prévu.

— Même *L'économie des sociétés primitives* ? dit-elle en saisissant un volume au hasard.

— Passionnant !

Elle posa une autre question, plus sensible, sur ses propres lacunes, son manque absolu de références, en s'excluant elle-même des sphères de la pensée — à force de côtoyer un philosophe connu, ce complexe-là avait fini par apparaître. Quand elle avait tenté de lire son essai sur la mémoire-miroir, elle avait eu l'impression que cent autres lui manquaient pour tenter de le comprendre. Entre les renvois à Platon, les références à une tribu océanienne et les citations de Spinoza, elle s'était perdue entre divers concepts qui tous avaient déjà été traités par des dizaines d'ouvrages répertoriés dans la bibliographie. Chaque fois que, dans la vie, elle pensait avoir découvert une vérité essentielle, celle-ci était contredite une heure plus tard par un autre courant de pensée. Il n'était pas rare de voir le philosophe démenti par le psychanalyste, le psychanalyste par le chimiste, le chimiste par le sociologue, et le sociologue par le philosophe.

— Alors on fait quoi, *nous autres*, sinon abdiquer ?

Hors de son territoire, Philippe aurait fourni une réponse toute faite, puisque le point que soulevait Mia — y a-t-il du sens au sens ? — lui revenait à la figure comme une tarte à la crème. Ce soir-là, enveloppé dans ses bibliothèques comme dans un bon vieux manteau, il avait envie d'encourager les premiers pas timorés de sa compagne sur des sentiers, battus pour lui, mais en friche pour tant d'autres. Il devait chasser en elle l'idée que la vie intellectuelle était un puzzle infini dont il lui manquerait toujours une pièce. La débarrasser de l'idée de *comprendre* pour se donner une chance de ressentir. Être à l'écoute d'elle-même et non des injonctions contradictoires des meneurs d'opinion, aussi bien les sincères que les imposteurs. Lui démontrer que celui qui confesse n'avoir ni l'outil ni la matière a déjà tant de convictions, de vécu, d'intuitions, qu'il suffirait d'un simple déclic pour combiner entre elles ses propres expériences, et connaître une *épiphanie*, une de ces illuminations qui frappent si fort qu'elles éclairent à jamais le chemin qui reste à parcourir.

À la suite de quoi, ils firent l'amour, sans se demander si cela avait du sens.

*

Agnieszka et Yves s'étreignirent jusque tard en laissant échapper de petits soupirs intelligibles en toutes langues. Elle semblait prendre du plaisir à sa séance de travail, et quand bien même ce n'aurait pas été le cas, Yves lui était reconnaissant d'avoir fait preuve d'une belle ardeur. À deux heures du matin, il agença sur la table une série de zakouskis choisis le matin même chez un traiteur polonais, puis sortit du congélateur une bouteille de vodka rouge et deux petits verres givrés.

— A kiedy przyjmujesz Szwedkę, to podajesz akwawitę ?

À son intonation, il crut saisir un soupçon d'ironie.

— J'ai fait un détour par le Xe arrondissement pour trouver ces trucs-là. Dis-moi ce que tu en penses.

Elle avala d'un trait son shot de vodka au piment et se tapota la poitrine du plat de la main pour faire passer la brûlure.

— Pieprzówka... Nie wiedziałeś o tym, ale trafiłeś akurat na taką jaką lubię.

Agnieszka, elle aussi, avait renoncé à l'idée de communiquer, du moins par la parole, et s'amusait, tout comme Yves, à bavarder sans se soucier d'être comprise — après tout, qu'avaient-ils à se dire de si précieux ? En savourant un second pirojki, elle brandit son verre déjà vide. La sensation d'apaisement que lui procura la vodka en annonçait une autre : elle allait gagner durant ces deux jours de quoi partir en thalasso pour rattraper des milliers de nuits de retard, et abandonner son corps à des mains expertes mais dénuées d'intentions malignes.

*

À la brasserie, le service du samedi soir se terminait vers les deux heures et se prolongeait souvent par un verre au comptoir, le temps pour la brigade de coordonner le prochain planning avant la coupure du dimanche. Après s'être étourdi d'un calva bien tassé, Denis était rentré se glisser dans son lit sans réveiller l'intruse — c'était le terme qui la désignait le mieux, comme le rappel permanent d'un danger. Il dormit jusque tard mais pas encore assez pour se réparer de la fatigue accumulée par les horaires qu'il s'imposait. Il sentit son palais lui réclamer une tasse de thé et se leva, traversa le salon sans y faire de mauvaise rencontre, mais une vision d'épouvante l'attendait en cuisine : Marie-Jeanne, l'éponge à la main, remettait un peu d'ordre et nettoyait les surfaces.

— Qui vous a permis de toucher à quoi que ce soit ?

— … ?

137

— Au cas où vous ne le sauriez pas, je travaille dans la restauration. Je sais ce qu'est une cuisine et comment on la tient.

— J'ai juste déplacé quelques ustensiles posés sur le plan de travail, mais je ne le ferai plus.

— Si on se laisse envahir par le bordel pendant le service on est foutus, mais ce que vous avez vu sur le plan de travail n'en était pas.

— Désolée…

— Vous vous êtes dit quoi ? Tant qu'à être ici autant me rendre utile ? Ou bien quelque chose du genre : « Ah ces hommes, dès qu'on les met dans une cuisine… » ?

— Rien de tout ça.

— N'essayez pas de vous rendre utile, vous ne serez jamais utile dans cette maison. Vous êtes le contraire de l'utile, vous encombrez. Si encore j'habitais dans un palace, avec des couloirs à perte de vue et des enfilades de pièces dans lesquelles je n'entre jamais, je pourrais un jour, par hasard, pousser la porte d'un débarras et vous y trouver, auquel cas je la refermerais illico et vous y laisserais en prenant soin de vous oublier. Mais là ! Vous vivez dans le salon ! La pièce centrale ! On entre et on tombe sur vous !

— Vous trouvez que je prends beaucoup de place ? Pourtant je m'efforce de ne rien laisser traîner.

Toute la vie de l'intruse semblait contenue dans un bagage noir à roulettes, toujours fermé, glissé entre l'armoire et le bras de la banquette. Pas d'accessoires apparents, de brosse à cheveux, de sac à main, de téléphone portable, de lotions diverses, rien sinon deux ou trois livres, quelques magazines et une paire de lunettes de lecture, le tout rangé en pile derrière l'autre bras de la banquette.

— Vous ne travaillez donc pas ? Vous n'avez pas besoin de gagner votre vie ?

— Pas en ce moment.

— Vous êtes riche ? Rentière ?

— Non, mais je change de travail régulièrement. En ce moment, je suis entre deux.

— Entre deux quoi ? Ça dure combien de temps, vos entre deux ?

— Je peux vous donner des détails, mais ça ne présente pas beaucoup d'intérêt.

— Entre deux quoi, bordel ?

— J'ai longtemps tenu une boutique de jouets, puis j'ai été administratrice dans un petit musée d'artisanat local, et puis j'en ai eu marre et j'ai ouvert avec une amie une agence de voyages qui a bien marché, mais j'en ai eu marre aussi alors je lui ai revendu mes parts, et depuis j'hésite à retrouver ma sœur qui vit avec sa famille à Nouméa. On m'a déjà proposé un job qui consiste à coordonner les tour-operators de la métropole.

Denis s'assit sur un coin de chaise et resta un moment immobile, hésitant entre une position de repli et un assaut dont il n'avait pas la force. Avec un détachement dont elle était seule capable, Marie-Jeanne Pereyres venait de lui résumer les vingt dernières années de sa vie, tout en s'interrogeant sur les vingt à suivre — avec elle, l'outre-mer n'avait qu'à bien se tenir. Pour répondre à une question qu'il n'avait pas posée, elle ajouta :

— C'est quand même un grand saut vers l'inconnu.

Elle semblait sincère, étrangère à toute ironie, oubliant un instant qu'elle avait envahi le territoire d'un homme dont elle prétendait ne rien savoir. Ainsi donc, il n'avait rien, lui, Denis Benitez, d'un *grand saut vers l'inconnu*, il n'intimidait pas, il n'encourageait à aucune prudence, il ne représentait aucun mystère, on pouvait même planter son bivouac chez lui sans se demander si l'on enfreignait une quelconque loi. Certes, il n'avait jamais vécu qu'une seule vie, une vie de serveur, la vie d'un serveur qui en aucun cas n'avait songé à créer sa propre affaire, une vie d'éternel serveur qui se serait bien casé à l'âge mûr avec une compagne, transparente et pas fière, une fille dans son genre, le contraire d'une Marie-Jeanne Pereyres. Alors pourquoi celle-ci, femme indépendante, déterminée, capable de forcer les obstacles, hésitait-elle entre une destination tropicale et un canapé pourri, au milieu d'une pièce sans lumière naturelle, dans un appartement cerné par la grisaille parisienne ?

Il renonça au thé et retourna dans sa chambre, épuisé, prêt pour un autre tour du cadran. Tout en se laissant gagner par le sommeil, il se vit comme l'homme le plus pauvre du monde pour avoir perdu le seul bien de celui qui a déjà tout perdu. *Ô ma solitude, sœur du silence et mère du recueillement, me voilà bien puni d'avoir douté de toi.*

*

Philippe Saint-Jean ne différenciait pas le dimanche d'un autre jour ; par habitude il descendait chercher son courrier, remontait les mains vides, puis dressait la liste des petits agréments et renoncements du jour : cantine vietnamienne fermée, billet d'humeur dans *Le Journal du Dimanche*, dégustation chez le caviste, rues désertes et jardins pleins, cinéma de minuit. Ce dimanche-là, en revanche, avait été planifié de longue date afin de retenir le plus longtemps possible Mia sur sa planète. Il avait repéré au cinéma Champollion une curiosité japonaise, drôle et baroque, pour la lui faire découvrir. Ensuite ils s'attarderaient dans le jardin du Luxembourg pour lire au soleil, boire un thé à la buvette et s'amuser de la ronde des joggers. Sur le tard, il l'inviterait à la Closerie des Lilas pour la surprendre avec un dry Martini tout spécialement préparé par son ami le chef barman, démontrant ainsi à Mia que lui aussi avait son repaire, son rituel et son cocktail. Mais, pour commencer, Philippe allait lui servir un plateau de petit-déjeuner assez luxueux pour rivaliser avec ceux des palaces, et assez copieux pour tenir jusqu'au soir.

— Tu es un amour, mais ôte ces croissants de ma vue, j'ai un défilé dans huit jours et un kilo à perdre.

Philippe n'eut pas même le temps de lui faire part de son programme que Mia lui proposa de déjeuner avec ses parents.

— Ils sont de passage à Paris ?

— Non, ils nous invitent chez eux, en Provence.

— … ?

— J'appelle mon agence et elle s'occupe de tout. On sera rentrés à Paris avant minuit.

— Tu as préparé ce coup-là depuis combien de temps ?

Mia se lova contre lui, bien trop câline pour être honnête, déjà prête à défendre son caprice bec et ongles. *Je veux qu'ils te connaissent parce que tu es important pour moi.*

Que n'aurait-il donné, quelques années plus tôt, pour entendre la proposition de Mia dans la bouche de Juliette ? Ce fut lui qui avait insisté pour enfin rencontrer ses parents, à l'ancienne, comme un futur gendre veut s'attirer les bonnes grâces de beau-papa. Pour Juliette, il aurait même fait sa demande solennelle, un genou à terre. Il aurait dit *oui* dans une église et passé une annonce dans *Le Monde*. Et il est fort vraisemblable que son cadeau de mariage aurait été un court texte enflammé qu'il aurait écrit pour célébrer le jour où, pour la toute première fois, il avait posé les yeux sur elle.

*

Yves, réveillé depuis l'aube, regarda Agnieszka dormir un moment avant de quitter délicatement le lit. Il passa un survêtement pour aller courir une bonne heure dans un parc voisin, puis retrouva son invitée devant une chaîne polonaise du câble.

— Mamy taki sam internet. To jest program 451.

Yves reconnut le mot « internet » et l'entendit ajouter, en montrant la cafetière pleine :

— Pozwoliłam sobie zrobić kawę.

Tout surpris de la façon dont elle avait pris possession des lieux, il goûta à son café et lui trouva un goût bien différent du sien. Puis il prit une longue douche avant de la rejoindre dans le lit, se cala à son flanc, s'imprégna de son odeur chaude, et regarda le bulletin météo à ses côtés.

— J'ai compris les mots *celsiusa* et *hectopascali*, fit-il.

— Jest jeszcze chłodno, u mnie. 14° w Lublinie.

À son tour elle prit une douche, ressortit de la salle de bains en peignoir, et désigna ses vêtements pliés sur une chaise.

— Mam się ubrać, czy tak zostać ?

— Te rhabiller ? Oui, tu peux. Tak !

Yves sortit de sous une armoire un second casque de scooter.

— Ça te dirait d'aller tirer un coup en plein air ?

— … ?

— Outside.

— Outside ?

Elle le toisa avec une lueur de doute et craignit un plan scabreux. Elle en avait trop subi pour ne pas redouter l'imagination perverse du client.

— Where outside ? Ja nie mogę sobie pozwolić na chryje z policjantami !

Il devina le dépravé qu'elle voyait en lui, et la rassura d'un mot qu'il pensait universel :

— Pique-nique.

*

De longues heures durant, Denis dormit d'un sommeil diurne, plus coupable que délicieux. Il fut assailli par un rêve lourd et troublant, où son visage, démultiplié à l'infini, recouvrait les affiches et les unes des journaux : on le reconnaissait dans la rue, on le montrait du doigt.

À son réveil, il chercha une clé dans ce fatras d'images, et tenta une nouvelle explication, certes machiavélique, à la présence de l'intruse, mais ô combien plausible en ces temps morbides où le spectacle de la médiocrité fascinait les foules. Marie-Jeanne Pereyres l'avait choisi comme sujet d'une enquête pour un magazine d'information, ou pire, comme le cobaye d'une de ces émissions de téléréalité qui convertit le drame humain en programme de grande écoute. L'ingérence dans la vie d'autrui avait déjà été déclinée sous bien des formes, mais afin de repousser les limites du voyeurisme, de nouvelles restaient à explorer. On avait caché des caméras chez des adolescents déphasés, des couples en crise, des familles déchirées, tous en recherche d'une catharsis, tous prêts à brader leur intimité, à mettre en scène leur quotidien contre un court instant de gloire médiatique. Le vrai visage de Marie-Jeanne Pereyres ? Une envoyée spéciale, une championne de l'audimat, une reporter sans scrupules. Elle allait s'en donner à cœur joie ! Forcer la caricature, faire de Denis un monstre de foire, un être vide dans une vie qui l'était tout autant. *Denis Benitez, ni mari, ni*

144

père, ni amant, est-il toujours un homme ? Elle allait façonner le prototype du mâle contemporain, entité obsolète, incapable de se rendre utile, créant bien plus de problèmes qu'il n'en résolvait, et donc condamné à disparaître à moyen terme.

— Tout devient clair : un *prime time* ! Vous avez introduit des caméras chez un célibataire qui s'encroûte et vous traquez ses travers de vieux garçon. Aller chercher la misère là où elle est, c'est *tendance*, non ? Dans le *Benitez Show*, vous prévoyez des gags désopilants et des séquences émotion ? Avec un *best of* en fin de semaine ?

— Si une telle émission passait, je ne m'en priverais pas.

— Au lieu de faire des mystères, de vous immiscer, pourquoi ne pas jouer franc jeu ? Pourquoi ne pas me demander une interview sans rien dissimuler de vos intentions ? Je suis prêt à témoigner, si vous me promettez de travailler en pleine lumière, et si c'est le seul moyen de vous voir foutre le camp.

— Je ne suis pas journaliste et je n'ai aucun projet de la sorte. Du reste, si j'avais à faire un portrait de vous, ce serait plutôt celui d'un homme qui peut tout à fait vivre sans femme. Celui pour qui les tâches ménagères ne sont pas un problème, celui qui ne voit pas dans la femme un aimable complément à sa virilité, celui qui, le cas échéant, serait capable d'élever un enfant seul. Tiens, et si vous étiez, Denis, l'homme de demain ?

*

— Là-bas, dans la clairière, au pied de cet arbre ?

— Moim zdaniem tam jest za płasko.

Agnieszka accompagna sa moue hésitante d'un mouvement du bras qui semblait décrire un relief plus vallonné. Yves remit en marche le scooter en direction du nord, et ce fut elle qui, cinq minutes plus tard, en traversant la forêt de Saint-Cloud, pointa une colline arborée, très isolée, irrésistible. Ils s'installèrent au sommet et partagèrent des sandwichs en bavardant chacun dans sa langue — peut-être se confièrent-ils des secrets que l'autre ne serait jamais en mesure de trahir. En fin d'après-midi, il l'attira à lui, releva sa jupe et s'introduisit en elle, leurs deux corps offerts au soleil et au vent du printemps.

En la prenant là, Yves connut un moment de suprême harmonie, ignoré jusqu'alors, un état de plénitude où les forces telluriques et solaires fusionnaient à travers lui. Il était au centre de tout, d'elle, de la nature, de l'univers, et si la terre tournait encore, ils en étaient le pivot.

Tout vibrants de leur ardeur, calés dans l'humus, protégés par l'arbre, apaisés par le soleil et la brise, la pute et son client recréaient autour d'eux le paradis perdu des vierges et des innocents.

*

À 11 h 45, un taxi vint les chercher à la sortie de l'aérodrome d'Avignon, pour les déposer trente kilomètres plus loin, dans le petit village des Bauxde-Provence, où, à l'ombre d'un mas, une famille piaffait d'impatience à l'arrivée du nouveau fiancé de Mia. Philippe avait trop subi d'examens dans sa vie pour se laisser impressionner par celui-là. Durant le déjeuner, il s'amusa à jouer le gendre idéal au bras d'une Mia bien plus nerveuse que lui. Il s'étonna de la voir redevenir petite fille auprès de sa *Mamina*, se laisser taquiner par son frère aîné, et s'enquérir de tout le village, voisins et commerçants, évoquant pour chacun une anecdote d'enfance. Elle abandonnait son habituel métalangage où se mêlaient des locutions cosmopolites, des raccourcis issus de la haute couture, et quantité d'inutiles anglicismes. Face aux siens, elle retrouvait l'accent du coin, une langue émaillée de tournures provençales et d'expressions purement idiomatiques issues du patrimoine familial. On plaça Philippe à côté de Roland, le père, pressé de faire subir au *philosophe* une interview finement préparée.

— Tu sais que papa a lu un de tes livres ?

En apprenant que sa fille fréquentait un intellectuel reconnu, Roland s'était procuré son ouvrage le plus accessible aux dires de la libraire. Avec patience, concentration, il s'était attaqué à *Oraison d'attente*, un essai sur le temps qui passe, sur le temps que perd l'homme moderne à trop vouloir le vaincre. Roland lui fit un commentaire élogieux sur des théories dont il pensait avoir cerné l'essentiel, et Philippe accepta l'hommage de cet homme sans prétention, qui s'était accroché à sa lecture avec détermination, même s'il n'en avait retenu que le premier moût. Pour lui rendre hommage à son tour,

Philippe engagea un jeu de dialectique légère et polie, laissant le père oser des parallèles entre *Oraison d'attente* et sa propre expérience du temps qui passe. Philippe, qui savait se mettre au niveau de ses interlocuteurs les moins agiles — il s'y employait régulièrement avec des présentateurs télé — soulignait les points les plus pertinents et posait des questions auxquelles Roland, enhardi par le vin rosé, se piquait de répondre. Au final, autour de la table, les convives assistaient à une aimable joute verbale où l'homme des livres et l'homme du terroir échangeaient, sur un thème éternel, des vérités premières.

Un peu plus tard, en lui faisant visiter le jardin, Mia, l'œil embué, se jeta au cou de son amoureux pour le remercier du plus beau cadeau dont elle pût rêver : Philippe avait fait de son père un philosophe, et pour le reste de ses jours.

6

— Tout le monde sait que la première ruse du diable est de revêtir les oripeaux de la modestie, de la candeur et de l'abnégation. Quand Manon est entrée dans mon bureau pour un entretien d'embauche, elle avait le C.V. d'une orpheline en détresse. Mais que de bonne volonté et de promesses !

Depuis plusieurs semaines, Denis Benitez, Yves Lehaleur et Philippe Saint-Jean se tenaient côte à côte et ne se privaient pas d'un coup de coude complice ou d'une messe basse durant les interventions.

— Au fil des mois, elle a gagné en aplomb, se révélant une alliée à qui personne ne résistait, pas même moi. Si l'on y ajoute un mariage vacillant et une crise de la cinquantaine, je n'ai pas su éviter un piège vieux comme la libre entreprise, celui du patron qui couche avec sa secrétaire.

N'étant ni l'un ni l'autre, Denis Benitez laissa à pareil cliché le bénéfice du doute, puis relâcha son attention. Faute d'avoir le courage de se lever et de dévoiler l'existence de l'intruse, il attendait de ces rendez-vous du jeudi un impossible miracle :

croiser un cas de figure proche du sien. Mais comment croire un seul instant que son étrange histoire connaissait un précédent ? Qui avait souffert, comme lui, d'une présence inexpliquée dans ses murs ? Dans un premier temps, il l'avait imaginée surgie du passé pour lui faire expier une faute mais, à force de la côtoyer, à la fois si présente et si discrète, il s'aventurait vers une hypothèse à l'exact opposé. Quelle serait la première raison d'une femme de s'installer chez un homme, sinon pour le voir, l'entendre, sentir sa présence, et faire partie de sa vie coûte que coûte ?

L'intruse était-elle de ces secrètes amoureuses qui soupirent dans l'ombre d'un homme adulé ? En frappant à sa porte, avait-elle franchi un pas qu'aucune autre n'osait ? Était-il hors de question pour un homme comme lui de susciter un sentiment démesuré, indéfectible ? Pourquoi ne pas imaginer Marie-Jeanne Pereyres en femme passionnée qui s'imposait à lui comme l'évidence en personne ?

— Peu de temps après, je suis tombé malade. Alité plusieurs semaines, sans réactions, vidé de mes forces, incapable de prononcer un mot. Les médecins n'ont rien diagnostiqué, sinon une sorte d'aphasie bien différente d'une dépression, et dont j'étais le seul à connaître l'origine. Au fond de moi, je savais que la présence de Manon dans ma vie allait chasser toutes les autres, et cette certitude-là m'avait rendu malade. Il est clair que beaucoup d'entre vous se sont effondrés à cause d'une femme, sinon votre confrérie n'existerait pas.

L'assistance avait pour règle de ne pas réagir, même si certains, dont Philippe Saint-Jean, se sentaient concernés. Naguère, Juliette avait inspiré en lui un sentiment si intense qu'il s'était, tout comme le témoin, écroulé à terre. Un médecin avait prescrit une série d'examens, tous inutiles, car pour se remettre d'un tel séisme dans sa vie, Philippe avait juste besoin de la main de Juliette dans la sienne — seule celle qui avait déclenché la maladie avait le pouvoir de le soigner. Deux semaines plus tard, quand il eut retrouvé l'usage de la parole et de ses jambes, elle s'était installée chez lui pour de bon. Leur première année fut à ce point fusionnelle que, de peur d'être séparés une heure durant, ils s'accompagnaient l'un l'autre à leurs rendez-vous respectifs, et ce jusqu'à ce que plus personne ne leur fixe rendez-vous. Philippe n'oublierait jamais ce matin où Juliette était sortie faire des courses, seule, et en était revenue avec un œil au beurre noir pour avoir glissé sur le carrelage d'une boutique. Il en avait tiré des interprétations freudiennes : Juliette s'était punie de cette toute première séparation, comme elle avait puni l'homme de sa vie de la laisser s'éloigner, et cette culpabilité-là ressemblait de façon troublante au coquard que laisse un homme brutal. Ils se savaient infréquentables pour les tiers, abêtis, roucoulants, mais incapables de faire autrement : ils ne retourneraient dans le monde que rassasiés l'un de l'autre.

— La passion est une maladie grave, une drogue dure. Après les premières exultations s'installent le travail obsessionnel, puis la dépendance. Manon quand j'ouvrais l'œil, Manon quand je riais, Manon quand je pleurais, Manon dans mes rêves. Une seule réponse à toutes les questions, à tous les désirs, à tous les doutes : Manon. *Quelle heure est-il ?* Manon. *Vous prendrez bien un peu de dessert ?* Manon. *Tiens, le temps est à l'orage.* Manon.

Par bonheur, Yves Lehaleur s'était débarrassé de ces sentiments dévastateurs, épuisants, qui abandonnaient derrière eux des êtres en friche. Il remercia le ciel de lui laisser le cœur en paix et la queue vagabonde. À la dérobée, il sortit son téléphone pour voir si Kris avait laissé un message. Depuis le matin, il tentait de prendre rendez-vous, moins pour coucher avec elle que pour lui raconter dans le détail, et sur le ton de l'ironie, une soirée calamiteuse passée avec une dénommée Brigitte. *Elle m'a épuisé, ta collègue, et pas comme j'aurais voulu. Rappelle-moi.* Avant même d'avoir ôté son manteau, Brigitte avait répondu à un appel en s'excusant par avance : *Je ne décroche jamais, mais là je suis obligée.* Par discrétion, Yves s'était enfermé dans la cuisine sans toutefois échapper à des bribes de conversation. *Le docteur est venu ?... La carte Vitale est dans le tiroir du buffet, où veux-tu qu'elle soit ?... Pour la puce, il reste du poisson pané, fais-lui des coquillettes.* Yves était réapparu la tête pleine de scénarios d'un non-érotisme parfait : Brigitte qui travaille de jour et se prostitue la nuit parce qu'un mari au chômage ne l'aide plus à joindre les deux bouts. Un mari qui se sent à l'étroit dans le costume du maquereau passif, mais les temps sont durs. Et la puce qui demande, devant son plat de coquillettes : *Pourquoi maman est jamais là le soir ?* À peine son téléphone rangé, elle avait abordé la question financière : *200 € pour deux heures, ensuite je dois rentrer.* De toutes les femmes qu'il avait reçues, aucune ne lui avait donné à ce point l'impression d'être au travail, persuadée de détenir un pouvoir qu'elle n'avait pas, celui d'embraser les sens d'un homme qui la paie — ce fut sans doute le point le plus exaspérant, cette outrecuidance de se prétendre prostituée, comme s'il suffisait d'ouvrir les jambes. Malgré tout, il s'était figuré qu'en bavardant durant la première heure, il allait la désirer assez pour la culbuter durant la deuxième, mais chaque parole échangée les avait coincés dans le réel, et le plus pragmatique qui soit, celui du temps qui file aussi vite que le crédit. En voulant jouer les pros, elle l'avait tutoyé : *De quoi t'as envie ?* Yves avait entendu pour la première fois ce que ces simples mots recelaient de vulgaire. De guerre lasse, il lui avait proposé un marché : il la laissait partir sans même avoir à se déshabiller, à condition de lui avouer toute la profondeur de son drame. *Quel drame ? De quoi tu parles ? Tu veux savoir pourquoi je fais la pute ?* Yves avait dû reformuler sa question : quel drame terrible empêchait Brigitte d'être auprès de son enfant malade en ce moment même ? Parce que seule une héroïne de Zola pouvait connaître le destin tragique d'une femme qui se prostitue pour acheter des médicaments à son gosse. Yves en voulait pour ses 200 € et s'attendait à du grandiose, une malédiction ancestrale, une enfance rongée par le secret, un amour passionné pour un monstre, une trahison dantesque. Brigitte s'était contentée de mentionner une pension alimentaire qui n'arrivait jamais, un nouveau compagnon criblé de dettes, et d'opiniâtres huissiers. Puis elle s'en était allée, plus riche de quelques billets, mais délestée d'une fade vérité que personne ne lui avait soutirée jusqu'alors.

— La suite s'est précipitée. Je quitte ma famille pour vivre dans un meublé. Manon m'y rejoint les premiers temps. Nous rêvons à notre avenir rayonnant de passion et de pouvoir. Je me ruine pour lui offrir tout ce qu'elle désire, je m'endette pour bâtir la maison de nos rêves, dont elle sera l'unique propriétaire — je me souviens d'avoir insisté : *S'il m'arrive quelque chose, je veux que tu sois à l'abri.* Au bureau, elle se propose de me soulager des dossiers les plus routiniers, puis m'incite à jouer une subtile partie d'échecs au sein de la compagnie. Un jour, elle me tend dans un parapheur l'équivalent de mon arrêt de mort, que je signe sans même le lire. Puis elle accepte une promotion et commence un étonnant parcours dans la boîte. Elle dîne la plupart du temps avec des collègues, puis certains patrons. *Il faut passer des alliances*, me dit-elle. Elle rentre de plus en plus tard, et quand je m'en plains elle me fait taire au creux du lit. Elle repousse la date du mariage sous divers prétextes et m'assure avoir arrêté la pilule. Un matin, je la vois siéger parmi nous à la direction générale. Le lendemain elle me quitte.

Yves ne croyait à rien de ce stéréotype où l'homme se voit tomber dans les rets d'une créature vénéneuse. À n'en pas douter, ce gars mentait, car à quoi bon diaboliser à ce point sa maîtresse sinon pour s'affranchir de la faute originelle ? Pourquoi vouloir convaincre un public sinon pour se réhabiliter à ses propres yeux ?

Pour avoir brûlé de ce feu-là, Philippe, lui, ne doutait pas de la sincérité de cet homme. Lui aussi aurait signé n'importe quel papier que Juliette lui soumettait, lui aussi aurait déposé à ses pieds tout ce qu'il possédait.

De son côté, Denis ne retenait du récit en cours que les éléments qui nourrissaient sa thèse. Jusqu'où peut-on aller par amour ? Si un homme peut se rendre malade, se ruiner, abandonner sa famille, pourquoi une femme n'irait-elle pas jusqu'à forcer la porte de celui qu'elle a choisi ? Pour, un jour, forcer cette autre porte qu'il n'ouvrait jamais, celle de tout son être ? À n'en pas douter, Marie-Jeanne Pereyres tenait un siège dont il était la place forte.

— Aujourd'hui, je vis toujours dans ce meublé, et seul. Les indemnités de mon licenciement économique partent en pension alimentaire. Mon ex-femme me hait, mes fils ne veulent plus me voir. Lassés de m'entendre rabâcher mon obsession de Manon, les rares amis qui m'avaient absous d'avoir quitté femme et enfants m'ont à leur tour abandonné. Je suis responsable de ce terrible ratage et, malgré les apparences, je ne suis pas venu ici pour me plaindre mais pour faire une proposition à celui d'entre vous qui m'aidera à assouvir une vengeance…

Ceux qui, dans l'assistance, s'attendaient à une

conclusion solennelle ou un silence recueilli dressèrent l'oreille au tout dernier mot prononcé.

— J'imagine que certains d'entre vous ont vu ce film de Robert Bresson, *Les dames du bois de Boulogne*. Pour les autres, ça raconte l'histoire d'une femme plaquée par un homme qu'elle a passionnément aimé. Elle décide de se venger en mettant sur sa route une demoiselle à laquelle il ne résistera pas. À son tour, il va connaître les affres de la passion et de l'abandon.

Denis, Philippe et Yves échangèrent un regard, saisis par le tour étrange que prenait ce témoignage. Philippe avait fait un rapprochement entre l'histoire de ce type et les mélos d'avant-guerre, mais pas avec ce film de Bresson qu'il aimait comme tous les films de Bresson, et qui lui semblait fort éloigné du sujet. Denis, lui, ne l'avait pas vu, mais il lui avait suffi d'entendre *Elle décide de se venger en mettant sur sa route une demoiselle à laquelle il ne résistera pas* pour que surgisse une nouvelle théorie sur la présence de l'intruse comme instrument de la vengeance d'une autre. Mais cette angoisse-là, malgré la paranoïa, ne résista pas à une minute de froide analyse ; pour le faire tomber dans un piège, encore eût-il fallu choisir une femme fatale, et pas ce… cette… pas elle en tout cas. Et puis, comment imaginer une Marie-Jeanne Pereyres manipulée par qui que ce soit ?

Yves ne gardait aucun souvenir du film, mais le résumé qu'on en avait fait lui donnait envie de le voir ; cette fille qu'on précipitait dans les bras du personnage était-elle ou non une prostituée ? Quelle autre femme pouvait se prêter à un tel traquenard ? Quel talent devait-elle posséder pour qu'il fonctionne ? Laquelle de ces filles qu'il fréquentait avait ce pouvoir de tentatrice ?

— Je propose une forte somme d'argent à celui qui se chargera de séduire Manon, de la rendre folle, de ruiner sa vie comme elle a ruiné la mienne. Nous préparerons ensemble une machination infaillible, je connais ses adresses, ses habitudes, ses tares, ses faiblesses, ses désirs profonds, je connais les mots qui lui parlent, les gestes qui la flattent. En moins de trois mois, elle lui mangera dans la main. Si l'un de vous est intéressé, qu'il me rejoigne à la sortie afin d'en reparler dans le détail.

Depuis sa création, les membres de la confrérie avaient vu défiler toutes sortes de témoins, et si parfois les histoires de ces hommes se recoupaient, chacune restait unique, complexe, et digne d'écoute. Mais d'aussi loin que remontaient les sessions, jamais l'on n'avait vu un individu prêt à en recruter un autre afin d'assouvir une vengeance. Les plus anciens membres, vexés que l'on ait pu voir en eux de sinistres manipulateurs, rompirent la loi du silence pour signifier à l'intrus qu'il s'était trompé d'adresse et, dans la foulée, lui indiquer le chemin de la sortie.

*

À la hâte, Philippe Saint-Jean quitta ses camarades à un carrefour de l'avenue de Friedland, sauta dans un taxi, sortit de sa poche un nœud papillon

157

qu'il noua sur son col cassé, mettant ainsi la touche finale à un smoking tout neuf que personne n'avait remarqué durant la séance. Dans leur habituel bistrot, Yves eut à peine le temps de s'installer que Kris l'appela enfin et accepta son invitation à dîner après un dernier rendez-vous — Yves l'imagina s'ingénier à faire jouir son client le plus vite possible pour être à l'heure au restaurant. Bientôt seul devant son verre, Denis, peu disposé à rentrer, en commanda un autre au risque d'attiser la mauvaise humeur de la serveuse — lui-même savait lancer ce regard noir à ses clients qui retardaient la fermeture de vingt minutes à chacun de leur dernier verre. Denis repéra chez elle les gestes rapides et précis d'une professionnelle et non ceux d'une dilettante qui condescendait à servir des cafés en attendant un destin exceptionnel. S'il possédait le don de décrypter les femmes, celle-ci, métier oblige, lui paraissait bien plus lisible qu'une autre.

Après avoir dressé les tables, rangé la terrasse, compté sa caisse et passé la serpillière, elle rentre dans son studio où personne ne l'attend. Elle prend une douche pour chasser une odeur de graillon, et s'allonge, les jambes lourdes, devant le téléviseur qui trône au pied du lit. C'est par lui que passent toutes les émotions. Il la fait rêver et rire, parfois pleurer, il rythme sa vie, la réveille, mais surtout l'endort, sinon elle est bonne pour l'insomnie, et ce serait le drame, car le sommeil est sa seconde passion. Elle le dit elle-même : Mon lit c'est mon radeau. *Le dimanche, il lui arrive de s'y laisser dériver jusqu'au soir, les yeux sur l'écran, toute*

prête à s'assoupir entre deux feuilletons. Parfois,
elle se dit que sur son radeau il n'y a pas de place
pour deux, qu'aucun homme ne se laisserait dériver
avec elle. Il lui arrive aussi de se féliciter de n'avoir
pas d'enfant, il lui suffit de regarder les informa-
tions pour se trouver dix bonnes raisons de n'avoir
pas conçu. Les choix se sont imposés d'eux-mêmes.
Après tout, étaient-ils si mauvais ?

Denis quitta brutalement sa rêverie sous le coup
d'une révélation : comment avait-il pu imaginer
Marie-Jeanne Pereyres poussée par de nobles sentiments ? Seule la hantise de vivre, vieillir et finir
seule pouvait expliquer sa détermination. En proie
au même désespoir, lui s'était contenté de sombrer
en dépression, dignement, sans nuire à personne !
Marie-Jeanne Pereyres avait préféré prendre une
mesure d'avance sur son triste sort et quitter un
radeau qui prend l'eau pour échouer sur celui d'un
autre, s'y accrocher comme une naufragée.

*

Kris appelait Yves « Le haleur » comme s'il
s'agissait de sa profession. Elle ne savait rien de
lui, sinon qu'il n'était ni haleur, ni batelier, mais
qu'il posait des fenêtres et qu'il aimait ça. Quand
parfois il tardait à se manifester, elle pensait à lui
comme à un complice à qui on brûle de raconter
l'anecdote du jour. Elle qui se faisait fort de ranger
les hommes, ces prévisibles petits êtres, dans deux
ou trois catégories, perdait ses repères face au
haleur. Et Dieu sait combien de psychologies tor-

dues elle avait croisées depuis qu'elle exerçait, et pas seulement les pervers sexuels, mais ceux dont les intentions cachées révélaient les méandres d'un esprit torturé, a fortiori s'ils se prévalaient de sentiments. Son expérience, acquise dans la douleur, lui avait appris à fuir ceux qui, tôt ou tard, lui reprochaient les désirs qu'elle suscitait en eux. Elle savait repérer, sous ses allures de gentleman, celui qui se cherche un avilissement moral en fréquentant les prostituées. Elle se méfiait aussi du chevalier servant prêt à partir en croisade pour *la sortir de là*. Tout comme elle redoutait celui qui insistait pour l'embrasser sur la bouche parce que justement ça lui était interdit. On ne percevait chez Lehaleur aucune honte de lui-même ou de mépris pour ses tentatrices, il ne manifestait aucun romantisme de puceau, il ne demandait rien d'extravagant mais obtenait plus que les autres. Il avait une façon unique de renifler les femmes, de les observer pour savoir comment elles étaient faites, de les flatter pour un atout dont elles étaient fières, ou de les prendre dans ses bras sans que cela paraisse déplacé — ce gars-là savait marquer d'instinct la limite entre tendresse et intimité ; ça en devenait presque agaçant, ce don de tracer avec précision la carte des émotions, comme celle d'un empire morcelé dont chaque puissance veillait à préserver ses frontières. Elle le trouvait dominateur, affectueux, curieux d'elle, toujours insaisissable. Kris savait le pouvoir de son sexe sur les hommes, fébriles, prêts à tout accepter pour se soulager, mais ce pouvoir-là n'agissait pas sur Yves. Sa facilité de passer d'une femme à une autre, son perpétuel besoin de diversité ne la rendaient pas unique aux yeux du seul homme pour qui elle aurait aimé l'être. Elle pouvait cependant se vanter d'avoir été sa première, sa pute originelle, celle qui lui avait donné le goût de toutes les autres.

— C'est moi qui invite pour me faire pardonner l'erreur d'aiguillage, dit-elle. Brigitte devait être dans un mauvais jour, il ne faut pas lui en vouloir.

— Si je paie des filles, c'est aussi pour leur mystère.

Surprise par sa fermeté, Kris se le tint pour dit. Pour calmer le jeu, il ajouta :

— Mais tant que tu m'enverras des Agnieszka, je m'empresserai d'oublier les Brigitte.

Renvoyée à son rôle de rabatteuse, Kris comprit que, dorénavant, il lui faudrait tenir sa place dans ce défilé de femmes. Une place qu'elle n'aurait cédée pour rien au monde. Parce que, après avoir dormi dans les bras du haleur, elle se sentait prête à affronter la brusquerie, le ressentiment, la dépravation, le mal-être et la misogynie du mâle dans la force de l'âge.

*

Philippe connaissait sa chance de pouvoir adapter son discours au gré des situations. Le philosophe de l'ère moderne avait la ressource de se bricoler une légitimité en toutes circonstances, savant mélange d'agilité intellectuelle et de mauvaise foi, aguerrie par une pratique médiatique digne de la fosse aux lions. Dans certains cas extrêmes, Philippe était capable d'hésiter entre deux discours parfaitement contradictoires et d'opter pour l'un d'eux sur un coup de tête. Un jour, dans un amphithéâtre presque vide où il était censé donner une conférence sur la démocratisation du savoir, il s'était lancé, vexé d'avoir attiré si peu de monde, dans une célébration des élites intellectuelles. À l'inverse, lors d'une émission de radio, en présence d'un tout jeune chanteur qui avait fait l'effort de le lire, Philippe avait réagi avec enthousiasme aux paroles de sa chanson, pourtant d'une rare ineptie. Dans un grand quotidien, il avait aussi dit du bien d'un essai sur le langage publié par un ami, quand, la veille, il en avait parlé à Juliette comme d'un *éteignoir de la sémantique*.

Ce soir, le nœud papillon sémillant, foulant du pied un tapis rouge, mitraillé par des photographes, il allait avoir besoin de toute sa rhétorique pour regagner un peu de sa légitimité de penseur. Mia et Philippe avaient décidé de s'afficher. D'ici une heure, leur idylle ne serait déjà plus une rumeur. Pour leur première sortie officielle, il leur avait fallu choisir un événement hors de leurs deux carrières afin qu'aucun ne soit le consort de l'autre. D'autorité, Philippe avait porté son choix sur l'avant-première d'un film à gros budget qui retraçait le foisonnement culturel du Paris des années 20 ; ils n'assisteraient pas à la projection mais se retrouveraient dans le luxueux raout donné à l'hôtel Crillon. Quand Mia lui avait demandé pourquoi cette soirée-là plutôt qu'une autre, Philippe avait avancé plusieurs raisons. Mais il avait tu la vraie.

Passé l'accueil, on le dirigea vers un salon au faste de soie blanche et de champagne rosé, où se frôlaient des robes de haute couture que seule une Mia aurait su mettre en valeur, et des smokings bien plus seyants sur d'autres que sur lui-même. Pas question cette fois de garder la distance d'un observateur ou de jouer les ethnologues narquois : il en était. Engoncé dans son uniforme mondain, il perdait le droit de décoder les signes, d'interpréter les gestes, de décrypter les comportements, il avait renoncé à son deuxième degré, c'était le prix à payer en cédant au lustre de la privilégiature. À la recherche d'une contenance en guettant sa fiancée, il saisit au vol une coupe de champagne qu'il but sur la terrasse en profitant d'une des plus belles vues qui soit : la place de la Concorde illuminée, l'entrée des Tuileries et sa grande roue. Malgré l'émerveillement une gêne persistait et, tant que sa petite peste tarderait à arriver, il résisterait à l'envie de fuir. Lui qui, des années auparavant, s'était faufilé dans un mouroir de Bombay pour se confronter au dénuement extrême, avait assisté à des agonies, échangé paroles et sourires avec des malades, il avait vu des mourants se préparer au grand départ, et jamais il ne s'était senti aussi *philosophe* que cet après-midi-là. Ce soir, à l'inverse, il ne parvenait pas à se mêler à un public qu'il soupçonnait de la plus imbuvable futilité. Pire encore, il avait honte de reconnaître tant de visages, acteurs, présentateurs, semi-princesses, figures de la jet-set, à se

163

demander comment toutes ces existences avaient réussi à se signaler à son cortex et à mobiliser de précieux neurones, lui qui regardait fort peu la télévision, lui qui, chez son coiffeur, sortait son bouquin au lieu de se laisser tenter, incognito, par la presse people. La question échappait aux fourches caudines de sa fine analyse : par quel effet d'imprégnation cette frange d'activités para-culturelles s'était-elle taillé une place entre son panthéon de philosophes grecs, son catalogue de littérateurs, et sa cartographie des peuplades dites primitives ? Comment avait-il été le récepteur de tant de messages insignifiants ? En tant que sociologue, il aurait pu lui-même se prendre comme le sujet idéal d'une étude : dans quelle mesure un individu cherchant à préserver au mieux sa concentration, à créer une frontière étanche avec le brouhaha ambiant, se laissait-il pourtant envahir par un subtil effet de capillarité ? Il ne pouvait pas même prétendre faire partie de ces chercheurs qui scrutent les médias comme le laboratoire d'une pensée en décomposition, il n'avait donc aucune excuse de connaître le nom de cette starlette de dix-neuf ans qui venait de se lancer dans la chanson, et qui se gavait présentement de billes de mozzarella.

Au détour d'un salon, il aperçut enfin sa belle, très entourée, d'hommes uniquement, plutôt jeunes et qui semblaient porter avec aisance les étoffes rares, les cuirs de marque et l'horlogerie suisse. Amusé par leur manège, Philippe resta un moment à distance, observant les simagrées de cette poignée de prédateurs. Parmi eux, un richissime capitaine

164

d'entreprise, bien fait de sa personne et play-boy par vocation, semblait le plus appelé à prétendre à une femme comme Mia. Loin de voir en lui un rival sérieux, Philippe, en bon entomologiste du comportement humain, l'identifia comme un insecte de la variété des arthropodes, comprenant les araignées mais aussi les crabes, au déplacement tangentiel, qualifiés de *ravageurs* pour l'environnement. Le spectacle de l'arrogance en marche avait toujours fasciné Philippe, il y retrouvait cet absolu manque de doute qui résumait l'ère contemporaine. Il imaginait les bons mots qui sortaient de cette bouche, misérables saillies qui, débarrassées d'un cynisme volé aux ricaneurs patentés, aux insolents médiatiques, témoignaient d'une rare vulgarité. Une vulgarité raffinée, de bonne éducation, qui savait jusqu'où aller trop loin, capable à tout moment de brandir la carte du deuxième degré quand un interlocuteur atteignait les limites de la complaisance. Si Philippe Saint-Jean avait jamais cherché son symétrique parfait, la version obscène de son *moi*, il en découvrait ce soir le visage.

Mia l'aperçut enfin et l'invita à la rejoindre. D'un furtif baiser sur ses lèvres, elle fit du même coup un élu et quelques maudits. L'arrogance avait changé de camp. En goûtant la rareté de cet instant-là, il venait de venger le petit garçon qu'il avait été, à l'époque où la plus jolie fille du collège n'avait d'yeux que pour les effrontés — c'était un peu à cause d'elle si un timide, comme lui, était devenu un contemplatif. Le fringant P.-D.G. cacha mal son saisissement au mot *philosophe* dont Mia se délectait. Ainsi donc, cette créature aux mensurations de reine couchait avec une entité pensante ? C'était donc ça qui faisait bander la top ? Le fort en thème, l'intello étriqué ? Un type ni très riche, ni très beau, ni mondialement connu, mais qui avait façonné quelques concepts et publié des ouvrages qui circulaient en Sorbonne ? Qui l'eût cru ? D'ordinaire, les sirènes comme elle mordaient aux hameçons brillants et se pêchaient sur des yachts. Afin de garder un reste de superbe, le soupirant déchu afficha un savoureux mépris pour la chose écrite et pensée. Il se flattait presque de confondre Schopenhauer avec un pilote de formule 1 ; il ne savait pas accorder un participe passé, mais ses deux assistantes, à bac + 6, s'en chargeaient ; il n'avait pas lu *L'être et le néant* mais il louerait le D.V.D. Face à l'ignorance revendiquée comme moteur de réussite sociale, Philippe n'hésitait jamais à brandir les poings — il avait envoyé au tapis des banquiers, des spéculateurs, des artistes autoproclamés, et des *fils de* qui s'étaient contentés de marcher dans les traces de papa. L'intello étriqué boxait dans une catégorie apte à mettre K.-O. les arrogants qui s'aviseraient d'en découdre par le verbe. Son challenger, battu d'avance, sut jeter l'éponge à temps.

À l'approche des quelques photographes autorisés dans les salons, Mia entraîna Philippe vers un balcon, le pria de se débarrasser de sa coupe, ajusta le haut de sa robe et lui prit la main face aux objectifs, avec en arrière-plan la grande roue des Tuileries. La photo serait parfaite, l'instant l'était aussi, un apogée sans doute, de ceux qui rendent déjà nostalgique.

*

À la station Montparnasse, le wagon se vida d'un coup et se remplit aussi vite ; Denis Benitez ne put s'empêcher d'envier tous ces individus sur le point de rentrer chez eux pour y dîner l'esprit libre et s'endormir en paix. Plus il approchait de chez lui, et plus s'imposait l'image d'une Marie-Jeanne Pereyres en chemise de nuit, plus enracinée que jamais, silencieuse mais prête à réagir à un nouvel assaut de questions. Le comble était sa façon d'inverser les rôles, de se montrer, elle, patiente, bienveillante à l'égard de celui qu'elle parasitait, parfois même étonnée de son humeur, de son souci d'un retour à la normale. Et pas moyen de se tourner vers la police ni de porter plainte pour violation de domicile, on pouvait imaginer le regard de l'agent, et surtout sa première réaction en instruisant la plainte : *C'est un cas très banal que vous nous signalez là, monsieur Benitez, moi-même je me réveille chaque matin avec une parfaite inconnue dans mon lit, la même depuis vingt-cinq ans, impossible de m'en débarrasser, et je ne sais toujours pas ce qu'elle me veut.*

Une femme de cinquante ans passés vint s'asseoir sur la banquette face à Denis, le toisa un instant puis ouvrit son magazine.

Elle porte son chapeau comme une couronne, son regard dit « Je prends le métro mais j'ai une vie ailleurs ».

À quoi bon posséder un pouvoir de décryptage si la seule femme en qui il aurait voulu lire restait opaque ? Cette mystérieuse ironie avait forcément un sens, mais lequel ?

Au loin, son regard tomba sur une jeunette adossée à la porte.

Enceinte sans ostentation, les traits détendus, pas fâchée de quitter son rôle de fille pour celui de mère.

Parfois Denis se demandait pourquoi aucune des femmes qu'il avait connues n'avait vu un père en lui. Sans doute n'inspirait-il pas cette confiance et cette solidité qui créent le désir de fusion. Aucune d'entre elles n'avait eu l'inconscience de lui dire : *Fabriquons un être humain dont nous serons fiers.* Aucune n'avait osé cette aventure avec lui, même celles qui l'avaient aimé.

Mais que dire alors de l'intruse ?

De sa ténacité en acier trempé ? De son formidable talent d'ingérence ? De sa façon de se pavaner sur un canapé miteux ? Fallait-il être bête comme lui pour ne pas y avoir songé plus tôt ! C'était vieux comme l'origine du monde ! Ça tournait rond comme une horloge biologique ! À quoi bon perdre son temps avec l'hypothèse romantique d'une Marie-Jeanne Pereyres en héroïne passionnée, ou avec celle, plus pragmatique, d'une vieille fille qui se cherche une fin à tout prix ? Une seule s'imposait maintenant : Marie-Jeanne Pereyres avait tout essayé pour tomber enceinte.

En voyant se défiler un à un ses amoureux, elle avait persévéré jusqu'à ce que la quarantaine pointe en ligne de mire : faute de trouver un père, elle se serait contentée d'un géniteur. Un type de passage, un gars recruté pour l'occasion, un homme marié, déjà père, en bonne santé, et qui jamais ne se douterait d'avoir été manipulé. Mais à force de rendez-vous ovulaires ratés, elle s'était tournée vers la science et les éprouvettes. Hélas, la dame du Centre d'Étude et de Conservation des Œufs et du Sperme humains l'avait trouvée bien trop célibataire pour prétendre à une insémination, et Marie-Jeanne s'en était allée, le cœur gros et les entrailles vides. Les idées les plus saugrenues lui avaient traversé la tête : faire appel à un copain, lui présenter le projet comme un gag, une preuve de leur complicité. Elle s'occuperait des langes, lui n'aurait qu'à venir un soir avec une bouteille de vodka pour se donner du courage et disparaître ensuite. Le garçon, déstabilisé, s'était montré flatté et avait disparu corps et biens. Malgré tout, Marie-Jeanne Pereyres n'avait atteint ni les limites de son imagination ni celles de sa patience. Il devait bien y avoir une solution, même extravagante. Toute femme qui avait brûlé du désir d'enfanter l'aurait absoute. Comment tomber enceinte sinon en prenant un homme en otage ?

*

Sans doute la plus gênée des deux, Kris s'interrogeait sur le vrai sens de ce rendez-vous impromptu, hors commerce.

— Un petit limoncello te ferait plaisir, Kris ?

— Ce qui me ferait plaisir, ce serait que tu m'appelles par mon vrai prénom. Christelle.

Ça sonnait comme une requête bien plus intime qu'une nouvelle variante de la position du lotus. Une heure durant, elle avait parlé d'elle, de ses études interrompues trop vite, de sa jeunesse débridée, de ses rêves futurs. Il l'avait écoutée comme il le faisait entre deux ébats, parce qu'il les écoutait, toutes, et chacune s'imaginait être la seule à profiter d'une telle attention. Kris se laissait maintenant envahir par quelques idées folles, des images d'Éden. Le partage d'une histoire sans fin avec son client privilégié. Yves, lui, se contentait de passer un bon moment avec une complice de lit.

— Tu m'as toujours dit que les prostituées jouaient un personnage, et que leur pseudo en faisait partie, tout comme leur look, leur langage. Tu serais prête à abandonner ton personnage, juste parce qu'on a partagé des spaghettis à l'encre de seiche ?

Elle qui pensait ne plus être vulnérable à rien, pas même à l'insulte, se sentit giflée.

— Avec toi, je n'arrive plus à être Kris.

Yves se retrouvait maintenant dans le rôle de l'ingénue qui pensait avoir trouvé un confident et se voyait flanquée d'un prétendant de plus. Il se dit flatté mais redouta d'avoir commis une maladresse en lui proposant ce dîner qui prenait maintenant un faux air de rendez-vous galant. Tout à coup, il reconnut en elle les traits de Pauline à leurs premiers tête-à-tête, ses yeux pudiquement baissés, ses joues empourprées, son sourire mutin. C'était justement ce visage-là qu'il ne voulait plus affronter, celui de la sincérité désarmée, des intentions pures et de l'infinie tendresse à venir. Depuis que des femmes aux mœurs légères se succédaient chez lui, tant d'autres émotions lui étaient devenues indispensables. Outre la fièvre que provoquaient les corps inconnus, la frénésie de leur immédiate nudité, le bonheur des caresses inédites, il y avait aussi cette terrible fierté de les voir quitter son lit moins méfiantes qu'en y entrant. C'était là un point essentiel : parvenir à faire baisser sa garde à celle qui voyait en lui soit un vergogneux, soit un tiroir-caisse, soit un ennemi. Lui, un amant pas spéciale-ment doué, doté d'un physique commun, savait maintenant comment dompter les plus sauvages, et obtenir d'elles, en une ou deux nuits, des offrandes. Et tant pis si plus jamais il ne redevenait l'homme d'une seule femme, s'il ne connaissait plus les joies du couple, l'immense majorité de ses congénères s'en chargeaient, ils en avaient les aptitudes et la patience. Chaque fois qu'une Asia, une Jessica, une Victoire s'empalait sur lui avec ardeur, il remerciait une Pauline de l'avoir trahi, de l'avoir affranchi du devoir de constance.

— Tu trouves que ça ne me va pas ?

— Quoi donc ?

— Christelle.

— Si. On imagine la petite fille que tu as été.

Cette petite fille-là ressurgissait maintenant, impressionnée par un adulte, un homme qu'elle voulait charmer par sa candeur et sa franchise : le contraire de ses armes habituelles. Sans la quitter des yeux, Yves souleva discrètement sa manche pour regarder l'heure, puis demanda l'addition au serveur.

— Tu veux rentrer ? demanda-t-elle.

— Je peux te raccompagner, j'ai deux casques.

Résolue à pousser plus loin la confidence, à lui avouer ce qu'elle ressentait pour lui, Kris décida de lui offrir cette nuit-là. Son luxe à elle.

— Je rentre avec toi. Cadeau de la maison.

Pour ne pas la froisser, Yves chercha une esquive et s'entendit déjà mentir sur sa fatigue, sur son réveil aux aurores. Mais à quoi bon se justifier face à une Kris qu'il payait pour la voir apparaître ou disparaître sans avoir de comptes à rendre ? Il avait failli réagir comme un mari, ou même un célibataire empêtré d'une liaison. N'étant ni l'un ni l'autre, il posa la main sur celle de Kris et lui dit, comme à son habitude, la vérité.

— Ce soir, j'ai rendez-vous avec Kim, une Vietnamienne qui m'a été recommandée par Jessica. Elle n'était pas libre avant une heure du matin. Je ne peux plus annuler. Un client te fait ça, toi aussi tu le prends mal.

— …

— Je n'ai jamais fait l'amour avec une Asiatique, ça fait des semaines que j'attends ça. Je t'en ai parlé souvent mais tu n'en connais pas.

Kris comprenait surtout qu'il avait fait confiance à une autre pour les recommandations de cet ordre.

— Tu ne m'en veux pas ?

— Moi, t'en vouloir ? Les seuls clients à qui j'en veux sont ceux qui m'ont tabassée.

Elle était redevenue une pute, lui un micheton,

tout rentrait dans l'ordre. Kris avait beau être blessée, il n'avait enfreint aucun code, il n'avait jamais
avancé masqué, il ne s'était pas dérobé après une
promesse. Il allait simplement, tranquillement, au
bout de sa quête.

Avant de se lever de table, elle ne put cependant
s'empêcher de le mettre en garde.

— Tu peux oublier ce que je vais te dire mais
je vais le dire quand même. Fais attention. Fais
attention à cette liberté-là, à cette facilité que tu as
choisie. Je sais où elle conduit. Aujourd'hui tu télé-
phones pour avoir toutes les femmes que tu veux,
et ça peut durer comme ça tant qu'il y aura des
hommes avec des sous en poche, et des femmes
toutes prêtes à les en soulager. Mais demande-toi
ce que tu perds à ne plus chasser, à ne plus séduire.
Un jour, tu n'auras plus les sens acérés, tu ne sauras
plus repérer les signes, tu ne prendras plus le risque
qu'une femme lise en toi, et tu vas perdre ta belle
désinvolture. Promets-moi d'y réfléchir.

Il le lui promit sans le penser vraiment. Une fois
dehors, il l'embrassa sur les joues et la quitta d'un :

— Salut, Kris.

*

Philippe Saint-Jean était désormais fiancé à l'une
des plus belles femmes du monde, et le monde
venait d'en être informé. Ainsi s'achevaient plusieurs mois d'une clandestinité qui leur donnait
l'illusion d'avoir surmonté des épreuves, d'avoir
créé leur couple *contre*, d'avoir mérité leur avenir.

En devenant le compagnon officiel de Mia, Philippe prenait le risque de se voir bien plus exposé qu'il ne l'était en tant que philosophe ; c'était sans doute un prix à payer, mais à quoi bon se refuser une pareille aventure ? Il avait beau s'interdire de voir en sa compagne un trophée, son exceptionnelle notoriété avait pourtant joué de façon capitale. Il savait depuis toujours combien comptait le regard d'autrui sur l'objet de son propre désir et, dans le cas d'une Mia, ce regard se multipliait d'un coefficient planétaire ; un simple calcul exponentiel lui permettait d'affirmer qu'on ne se lassait pas d'une fille comme elle : il avait les probabilités pour lui. Par ailleurs il avait le sentiment de mériter Mia, elle était la récompense de tant d'années passées à défendre de justes causes, à séparer le vrai du faux, à prôner le Beau et le Bien, à garder intacte sa foi en l'humain. Si Philippe ne croyait pas au destin, le destin, peu rancunier, avait cru bon, et par deux fois, de la mettre sur son chemin.

Il avait cependant une dernière raison de s'afficher, ce soir-là, au bras de Mia. Et cette raison portait une robe gris perle dont le décolleté laissait fièrement apparaître, au-dessus du sein, une cicatrice de flibustière dont Philippe était fou. Mia perçut le trouble de son fiancé.

— Tu la connais ?

Il ne rencontrait plus Juliette que par hasard, refusant de convertir en amitié un amour qui avait été si intense. Ils se croisaient parfois à l'heure du déjeuner dans un restaurant de la rue de Bièvre qu'ils avaient fréquenté naguère, ou dans les couloirs d'une maison d'édition commune. En général, il jouait les détachés et la gratifiait d'un compliment qui les renvoyait à leur intimité perdue. Dans ces instants furtifs, il se retenait de porter la main vers ses cheveux bouclés qu'il avait tant lissés entre ses doigts.

Toutefois cet impromptu dans les dorures de l'hôtel Crillon ne devait rien au hasard. Pour avoir écrit un ouvrage de référence sur les mouvements artistiques du début du siècle, Juliette avait été consultée pendant l'élaboration du film qu'on fêtait ce soir. Philippe l'avait toujours su.

— Va la saluer, dit Mia.

Il n'avait besoin d'aucune autorisation mais la remercia des yeux.

— Toujours 1,85 m pour 63 kg ?

— Toi, ici ? En smoking ?

De façon un peu trop évasive, chacun chercha à savoir si l'autre était accompagné. De peur d'affronter les réponses, Philippe s'abstint de lui poser les questions qui lui brûlaient les lèvres. Il préférait imaginer une Juliette mal remise de leur séparation, incapable désormais de tomber amoureuse, se sentant comme salie en passant la nuit avec un autre. En revanche, il trouva vite l'occasion de placer sa *fiancée* dans la conversation, et la désigna, au loin, entourée d'admirateurs.

— Elle est connue, cette fille, comment s'appelle-t-elle, déjà ?

— Mia.

— Elle est magnifique.

— Et pas qu'à l'extérieur.

— Je me souviens qu'un soir tu avais dîné avec elle. Tu l'avais trouvée banale et infatuée.

— Je lui ai laissé une deuxième chance.

Philippe fut sur le point d'ajouter : *J'ai eu tellement peur de te voir au bras d'un autre que j'ai agrippé celui d'une des dix femmes les plus convoitées au monde. Prends-le comme un hommage.*

*

Marie-Jeanne, alanguie, quitta un instant sa lecture pour se redresser sur la banquette et accueillir son hôte d'un sourire. Il l'ignora comme à son habitude, rejoignit la cuisine et se prépara un sandwich dans un silence de catacombe. Épuisé par tant de spéculations sur la présence de l'intruse, il préférait éviter de nouvelles hostilités et filer droit dans sa chambre. Elle ne lui en laissa pas le temps.

— Ce soir, j'ai une requête à vous adresser, mais vous me promettez de ne pas le prendre mal.

— Trop tard.

— Je sais que ça va vous paraître délicat, et je comprendrais votre refus.

— Plus vous allez prendre de précautions et plus ça va m'exaspérer.

— J'aimerais dormir avec vous cette nuit.

— … ?

— N'allez rien imaginer de sexuel. Pour faire court, disons que cette promiscuité entre nous commence à avoir des effets indésirables.

— … Des quoi ?

— À force de vous voir vous enfermer dans

176

votre chambre de peur que je vous agresse, je vous vois désormais comme une citadelle imprenable. Forcément, ça me travaille.

— Une folle s'est installée chez moi...

— Pour le dire autrement, je ne voudrais pas garder de mon passage ici le souvenir de votre épouvantable méfiance. Dormir ensemble est sans doute le seul moyen, l'espace d'une nuit, de baisser les armes.

— ... Cette femme n'a pas toute sa raison.

— Je vais vous raconter un souvenir d'enfance ; quand mes parents m'ont fait découvrir le Louvre, je suis tombée sur une toile de Toulouse-Lautrec intitulée *Le lit*, qui représente deux corps endormis côte à côte. À cinq ou six ans, j'ai été troublée par cette impression de paix et d'abandon qui se dégage de la toile. Je m'étais dit qu'il fallait une sacrée confiance pour oser dormir à côté de quelqu'un.

— ... ?

— En outre, je n'ai pas passé la nuit dans le lit d'un homme depuis longtemps et, curieusement, ce qui me manque le plus, c'est le sommeil partagé et non les acrobaties d'usage. N'ayez rien à craindre, je ne vais même pas vous effleurer. Vous n'aurez qu'à vous allonger seul et vous endormir, moi je me glisserai sous la couette sans que vous vous en aperceviez, et demain matin, avant votre réveil, j'aurai regagné mon canapé. Et je vous promets de ne plus jamais rien vous demander.

— ...

— Allez, quoi, c'est pas grand-chose pour vous...

— Vous êtes une malade mentale, vous avez besoin d'une aide médicale.

— Après tout, je ne demande rien d'extraordinaire. Votre proximité silencieuse, apaisée, votre respiration profonde, votre poids sur le matelas, votre agitation pendant que vous rêvez.

— Je ne rêve plus depuis que vous êtes entrée dans cette maison. Ma vie n'est plus qu'un long cauchemar dont je m'échappe parfois, la nuit, abruti de fatigue, durant de trop courtes heures avant la sonnerie du réveil. Vous n'allez pas m'enlever ça ?

— Une femme qui veut dormir une nuit à vos côtés, c'est la fin du monde ? Qu'est-ce que ça peut avoir de si terrible ?

— Je sais très bien ce que vous cherchez en voulant vous introduire dans mon lit. Vous avez un plan.

— Moi, j'ai un plan ?

— Vous vous êtes entichée de moi il y a déjà longtemps. Je ne sais pas où vous m'avez repéré, vous étiez peut-être une cliente de ma brasserie, j'ai dû vous servir un plat et là, quelque chose s'est déclenché, je suis devenu votre obsession. Une femme consumée de passion devient vite une harceleuse, les faits divers ne manquent pas.

— Vous m'avez demandé cent fois si nous nous sommes déjà rencontrés. Cent fois je vous ai répondu la même chose. Vous me prêtez là des sentiments bien trop forts pour moi. Je ne suis pas de cette race-là. Et, sauf votre respect, vous non plus.

— Si vous n'êtes pas folle de moi c'est encore plus affligeant, vous agissez par pur calcul. La vraie raison de vous imposer ici c'est l'angoisse de finir seule. Vous cherchez à vous caser, c'est normal pour une femme de votre âge. Vous m'avez repéré depuis longtemps, vous vivez dans le coin, ou bien un ami commun vous a confirmé que j'étais une proie facile, psychologiquement diminuée, et vous avez frappé à cet instant-là.

— L'angoisse de finir seule... Celle-là c'est la meilleure ! Vous m'avez bien regardée ?

— Alors quoi ? Vous cherchez un donneur ?

— Pardon ?

— Un géniteur, un type assez bête pour se faire faire un enfant dans le dos ? On passe une nuit ensemble, puis une autre, et tant que vous n'êtes pas enceinte vous tenez le siège. Vous vous figurez qu'on ne résiste pas à Marie-Jeanne Pereyres ? Vous croyez que votre stratagème a une chance de marcher ?

— Qu'est-ce que c'est que ce charabia ?

— Pourquoi moi, bordel ? Est-ce que je donne l'impression d'avoir des gènes en bon état ?

— Qui vous dit que je n'ai pas déjà des enfants ?

— Vous en avez ?

— Non. Je suis stérile, je l'ai su très tôt. Au début, je l'ai vécu comme une punition, mais à la longue j'en ai pris mon parti. J'ai une ribambelle de neveux et nièces qui me vénèrent. Et qui sait si un jour je n'adopterai pas ? Vous ne couriez aucun risque en m'acceptant dans votre lit. Vous pensez vraiment que j'en veux à votre corps ?

— Et pourquoi pas ? J'en ai attiré d'autres, vous savez.

179

— Soyez sûr d'une chose, le soir où vous ne rentrerez plus seul, je disparaîtrai sur la pointe des pieds.

Ce qu'elle fit déjà en retournant, la tête basse, vers sa banquette. Vexée comme la femme éconduite pour qui seuls les hommes sont destinés à l'être.

Denis savait désormais comment s'en débarrasser.

7

Après avoir été hébergés six semaines dans la salle de projection d'un musée — un lieu idéal par sa contenance, son confort, son acoustique, sa scénographie — les membres se retrouveraient désormais rue de la Convention, Paris XVe, dans le sous-sol d'une petite cité résidentielle. Une longue cave voûtée, propre et chauffée, équipée de bancs et de chaises de récupération, servait aux assemblées de copropriété, mais aussi de salle des fêtes et de local de répétition.

Bien différent de l'habituelle solennité des séances du jeudi, un silence régnait comme une charge sourde contre l'un des présents. La confrérie n'ayant ni porte-parole ni modérateur, personne ne se ferait l'écho de cette indignation, et pourtant tous regardaient à la dérobée vers un des leurs. Se sentant pour la première fois indésirable, Philippe Saint-Jean priait pour que la séance commence enfin et qu'on cesse de le dévisager.

Trois jours plus tôt, son éditeur, stupéfait, lui apprenait par téléphone la publication dans la presse

d'une photo de lui au bras d'une célèbre mannequin. La famille de Philippe se manifesta peu après,
puis quelques amis qui assumaient ainsi d'avoir eu
le magazine en main. Au cinquième coup de fil, il
se résolut à descendre à son kiosque habituel où
son vendeur l'attendait avec admiration. De retour
dans son vieux Chesterfield râpé, il put enfin découvrir cette fameuse photo. Philippe se scruta longuement et se trouva moins ridicule qu'il ne l'avait
redouté, presque beau. Il avait même réussi à paraître surpris, comme forçant sa discrétion naturelle,
gêné d'avoir à prendre la pose, gardant ainsi une
certaine dignité. Ses deuxième et troisième cercles
de connaissances se manifestèrent en fin d'après-
midi, les mêmes qui se rappelaient à son souvenir
quand il lui arrivait de passer à la télévision. Tant
de sollicitude finit par l'agacer : chaque fois qu'il
signait un article, que ce soit sur le spinozisme de
Freud, sur les avatars de la révolution sexuelle, ou
sur l'étanchéité des classes moyennes, absolument
personne ne lui donnait signe de vie. Tard dans la
soirée, Mia l'appela de Montréal *entre deux shoo-
tings* pour lui dire à quel point son agence se féli-
citait de leur union — bien plus efficace, question
publicité, qu'un banal scandale. Le lendemain, il
fut réveillé par son attachée de presse, ravie de lui
communiquer les demandes d'interviews de divers
médias qui venaient d'apprendre son existence. Le
comble fut atteint quand le patron de sa gargote
habituelle lui offrit l'apéritif pour la première fois
en dix ans — un kir qu'il paya cher de sa personne
en posant pour le livre d'or. Après la crânerie, puis

l'agacement, vint l'amertume ; jamais il n'avait été si populaire qu'en étant le contraire de lui-même.

De fait, la grande majorité des hommes réunis ce jeudi-là avaient vu cette photo ou s'étaient passé le mot. En reconnaissant Philippe, on apprenait du même coup qu'il était sociologue, curieux de l'âme humaine, mais contempteur de son époque. Comment ne pas voir en ce témoin muet une menace pour leur occulte communauté ? Que représentait cette poignée d'individus aux yeux du philosophe, sinon un sujet d'étude, une curiosité sociétale ? Ne pouvait-on craindre la préparation d'un ouvrage sur la faillite masculine ? La confrérie, toute de confiance et de partage, abritait-elle un perfide ?

Si la plupart d'entre eux cachaient mal leur inquiétude, les plus fatalistes admettaient que, tôt ou tard, leur cénacle allait perdre son anonymat ; c'était même un miracle si, au fil des décennies, il avait été préservé des journalistes et des scrutateurs de tout poil. Comment imaginer, en cette ère dite de communication, qui encourage l'étalage de soi et la surveillance de l'autre, qui piétine le secret et viole l'impénétrable, que leur petit rendez-vous hebdomadaire allait prospérer dans la clandestinité ? Avec quelle facilité pouvait-on dévoiler son existence sous un jour cynique ! S'il y avait cent manières de vilipender la confrérie, il ne s'en trouvait qu'une seule pour la présenter dans toute sa simplicité, et l'on pouvait redouter que ce Philippe Saint-Jean n'eût pas choisi celle-là.

Et, quand bien même il n'était pas animé d'intentions malveillantes, comment avait-il osé prendre place au milieu de types souvent désemparés, frustrés, déçus, lui qui semblait mener une vie professionnelle accomplie, lui qui, si l'on en jugeait par cette photo, évoluait dans des milieux huppés, et surtout — c'était bien là l'ignominie — fréquentait une des femmes les plus adulées au monde. On pouvait y voir le comble de la provocation, et les plus malheureux avaient le droit de s'en sentir offensés.

Philippe put déceler le vrai message de ce silence qui perdurait ; on le désignait, certes, mais on lui laissait une chance de s'expliquer, de rassurer ses pairs. Il lui suffisait de réunir assez de courage pour quitter son attentisme sournois et avouer les vraies raisons de sa présence ici.

Philippe chercha un encouragement du côté de Denis et Yves, qui se réjouissaient déjà de lui faire subir un interrogatoire devant une bière. Ils ne lui en voulaient pas d'avoir tu le nom de Mia et se foutaient bien de l'anonymat de la confrérie : leur copain couchait avec la fille qui s'affichait en sous-vêtements partout en ville. Pas même encouragé par ses comparses, Philippe se leva pour faire face à un public bien différent de celui des séminaires, des amphis, des plateaux télé. Cette fois, il n'avait rien préparé et ne se sentait protégé par aucun discours, aucune technique, il allait faire comme tous ses prédécesseurs, laisser une phrase en appeler une autre, quitte à se perdre dans les digressions, les redites et les contradictions.

— Je m'appelle Philippe, je suis chercheur en sciences humaines. Il y a encore quelques mois je vivais les dernières affres d'un chagrin d'amour. Me pensant plus malin qu'un autre, j'ai cru pouvoir échapper à la douleur du manque en en faisant un objet de réflexion. À force de la mettre en perspective, je devais parvenir à la vider de son mélodrame, à la trouver à ce point anecdotique et niaise que j'allais m'en défaire. J'ai vite eu la preuve que je n'étais pas mieux armé qu'un autre pour lutter contre cette douleur-là. Je me suis mis à détester les classiques qui ne me fournissaient aucune réponse. J'ai haï le verbe, j'ai maudit la raison, j'ai vomi la dialectique. L'essentiel de ma pensée consciente se résumait en deux mots : *partie Juliette.*

Philippe leur épargna les détails peu flatteurs pour lui : les nuits de veille près du téléphone, les photos déchirées, les sous-entendus fielleux auprès des amis communs. Mais, pas plus que ses belles lettres, sa malveillance ne l'avait aidé à en finir avec elle.

— C'est alors que j'ai connu ce... ce cercle — j'ai beau avoir baptisé quelques concepts et donné des noms aux formes les plus abstraites, je ne sais toujours pas comment désigner notre assemblée ce soir. Je me souviens bien de mon état d'esprit lors de la toute première séance : la machine analytique en marche, j'espérais le pire. Quelle prétention que de vouloir décrypter le sens de ces réunions quand je ne savais pas moi-même pourquoi j'y assistais. J'ai depuis écouté des dizaines de types raconter leur propre histoire et disparaître ensuite. Aucun récit n'est prévisible quand il est décrit par son acteur principal. Au fil des semaines, je me suis laissé prendre par l'intensité de cette parole vive ; une manne pour un gars comme moi, qui à force de vouloir définir l'Humain oublie l'individu et la charge de réel qu'il porte en lui. Ah, le réel… Irremplaçable réel qui défie l'imagination et parfois l'entendement. Ah la joyeuse complexité des êtres qui ont défilé ici. Ceux qui redoutent la vérité bien plus que le mensonge, ceux qui préfèrent les grandes douleurs aux petits arrangements, ceux qui préfèrent les petits arrangements aux grandes douleurs, ceux qui passent de la tragédie grecque à la comédie italienne, ceux qui sacrifient les êtres de chair à leurs constructions mentales, ceux qui inventent des sentiments inédits, ceux qui ont une queue qui leur indique le nord, ceux qui préfèrent encore la haine à l'indifférence. À la longue j'ai oublié que les intervenants étaient des hommes, ils auraient pu tout aussi bien être des femmes ou des extraterrestres, seule comptait la confrontation à une autre logique, même la plus dérangeante. En retrouvant le goût de l'écoute, j'ai revisité toutes mes certitudes sur le principe d'altérité, et j'ai admis la très grande vanité de mes sentiments hostiles envers celle que j'avais aimée.

Ses paroles ne seraient jamais consignées nulle part. Il s'en félicita.

— Je dois sans doute aux séances du jeudi ma surprenante rémission, mais je constate désormais un effet pervers qui m'oblige à les fuir : l'excès d'empathie a émoussé mon sens critique. Tous les témoignages sont recevables, toutes les élucubrations sont bonnes à entendre. En d'autres termes, je suis toujours d'accord avec le dernier qui a parlé, ce qui n'est jamais bon pour un philosophe...

Philippe arracha quelques sourires à son auditoire.

— Je ne reviendrai pas la semaine prochaine ni les suivantes, mais je vous fais le serment que jamais je n'utiliserai la moindre parole entendue ici dans le cadre de mon travail, que jamais je ne ferai état de ces réunions, excepté à celui qui en aurait besoin.

Contrairement à l'usage, les hommes l'applaudirent avec le soulagement de la confiance retrouvée.

*

— Allez-vous cesser, vous deux, de commencer toutes vos phrases par « C'est vrai que... » ?

— C'est vrai qu'elle tient en laisse un furet qui l'accompagne partout ?

— C'est vrai qu'elle ne se nourrit que d'algues vertes qu'on ne trouve qu'au Japon ?

— C'est vrai qu'elle touche 25 000 $ par heure de pose ?

— C'est vrai qu'elle a un anneau sur le clitoris, comme dans *Histoire d'O* ?

— Mais où êtes-vous allés chercher toutes ces conneries ?

Denis se souvenait d'un spot télé où, à travers un paravent translucide, Mia se passait de la crème sur le corps ; il s'était dit alors que la perfection était de ce monde mais qu'il n'en verrait jamais les contours que sur un écran. Yves, lui, ne s'était toujours pas remis d'une couverture de *Elle* où les yeux insolents de Mia semblaient lui dire : « Lehaleur, je te veux ! »

— C'est vrai qu'un magnat de la finance lui a offert une Ferrari rien que pour dîner avec elle ?

— C'est vrai qu'elle s'est fait enlever les côtes flottantes pour affiner sa taille ?

— Les gars, franchement, ce n'est pas le fiancé jaloux qui parle, c'est le sociologue : comment avez-vous pris connaissance d'informations aussi extravagantes ? Sérieux, ça m'intéresse. Dans mon essai sur la mémoire-miroir, je me suis interrogé sur la portée endémique des rumeurs. Que ne vous ai-je connus à l'époque !

Qu'est-ce que l'intello avait de plus qu'eux pour avoir le droit de prendre à bras-le-corps un mythe vivant ? En servant des œufs mayonnaise ou en posant des doubles-vitrages, on n'était pas digne de plaider sa cause auprès d'une Mia ? Il avait dû l'embobiner avec ses grandes phrases ! Il avait dû en bricoler, des théories fumeuses, pour la mettre dans son lit !

— Elle est comment dans la vie réelle ?

— Je ne sais pas. Avec elle, la vie n'est jamais réelle.

S'étant interdit l'exercice critique sur ses proches, Philippe préféra s'en tenir à une pirouette. Ne pas être lucide avec ceux qu'il aimait lui posait peu de problèmes de conscience. Pourtant, il ne pouvait s'empêcher d'interpréter les signes qu'émettait Mia et ce travail-là le rendait nostalgique de l'aveuglement amoureux qu'il avait connu, ce doux égarement, ce manque total de distance qui pousse à ériger en vertus les défauts de l'autre. Fallait-il être si peu épris pour si bien lire en Mia ?

Il avait remarqué à quel point elle était démonstrative en public et bien moins une fois seuls. Chez ses parents, elle le câlinait jusqu'à l'indécence. Dans la rue, elle calait son pas sur le sien comme une sœur siamoise. Devant les photographes, elle s'accrochait à lui comme à une balise de survie. Mais, à huis clos, Mia retrouvait illico son espace vital et se permettait même de tourner en dérision les petits couples autarciques et leurs bécotages niaiseux. Il avait observé sa façon de restreindre au plus juste le don de soi afin de maintenir l'autre en état de dépendance — ce que Philippe désignait comme un *malthusianisme affectif*. Il préférait y voir non pas une rétention de sentiments mais un calcul naïf afin de le retenir le plus longtemps possible auprès d'elle. Un troisième indice, plus inquiétant encore, était le refus de Mia d'entrevoir son propre avenir le jour où sa cote dans le monde du glamour commencerait à fléchir. Philippe lui avait demandé : *Tu as pensé à l'après ?* Elle avait d'abord éludé le sujet, persuadée que rien ne vaudrait sa vie d'aujourd'hui, puis elle avait répondu : *Avoir des enfants, et ensuite, on verra, peut-être faire l'actrice.*

— « Avec elle, la vie n'est jamais réelle »... Tu crois qu'on va se contenter de ça ?

— Vous voulez une preuve ? Jeudi prochain, je serai dans un palace, à Bali, avec une des plus belles créatures du monde. Au bord de ma piscine, face à l'océan, je siroterai un dry Martini pendant que vous serez entourés de cent types qui pleurnichent dans un sous-sol en béton. Consolez-vous en pensant que cette belle communion masculine vous rendra meilleurs.

Un shooting de six jours pour Vanity Fair, voilà comment Mia lui avait présenté la chose. Six photos pour un mensuel américain. Le paradis ordinaire des magazines de mode, une imagerie paresseuse de l'ailleurs rêvé. Philippe se demandait comment, au troisième millénaire, ce cliché-là pouvait encore faire vendre. *J'ai réussi à te glisser dans mon contrat, mon agence s'occupera de tout.* Lui, Philippe Saint-Jean, qui avait assisté aux cours de Michel Foucault au Collège de France, avait été *glissé dans un contrat.* Un voyage first class, un séjour dans la suite privilège du plus bel hôtel de l'Asie du Sud-Est. *Tu n'as qu'à dire oui.* Philippe n'avait rien contre l'idée de dire oui, mais oui à quoi ? Au dépaysement ? Au luxe ? Au chromo d'une carte postale ? *Au cas où tu culpabiliserais, dis-toi que tu travailleras bien mieux là-bas que dans ton petit bureau racorni.* Formulé autrement, seul cet argument-là semblait recevable. Philippe ne quittait jamais Paris sinon pour un colloque ou un salon du livre. À l'époque où Juliette acceptait de le suivre, cela prenait la forme d'une escapade dans un hôtel de charme, avec visite des curiosités locales et dégustation des spécialités : toute une aventure pour un type comme lui. Il n'éprouvait aucun besoin de rompre avec un rituel de travail qui le faisait voyager bien plus loin que n'importe quel tour-operator. Il n'entendait pas le mot vacances sans une nuance de vulgarité, à moins de l'orthographier sans *s* pour souligner un état de désertion. Aujourd'hui, l'intrépide Mia bousculait son quotidien et pointait une sclérose : et si, à force de n'être jamais remis en question, son cher rituel avait fait de lui un cul de plomb ? Un petit intellectuel écrasé de sédentarité, fatigué par son inertie, usé avant l'heure ? Le séjour qu'elle lui proposait était l'occasion idéale de faire le point sur sa pratique de travail. Il avait accepté de la suivre aux antipodes pour cette unique raison et prévoyait de n'emporter ni livre, ni ordinateur, mais juste son petit calepin au cas où, sous un palmier, il se sentirait visité.

Certain que ce serait le dernier, Philippe faisait durer ce verre en compagnie d'Yves et Denis. Il savait combien le monde était cloisonné, combien la vie rejetait ceux que l'on a croisés dans des contextes hors normes, combien la mémoire évacuait les témoins d'un état de faiblesse. Et plus s'éloigneraient les séances du jeudi, plus grand était le risque de n'avoir rien à leur dire, de rechercher en vain une complicité perdue. En outre, ni Yves ni Denis n'avait proposé de le revoir, ailleurs, plus tard, comme si une amitié réelle s'était nouée. Personne n'étant dupe, il ne leur restait plus qu'à se faire leurs adieux sur une note d'ironie.

— Si on n'a pas échangé nos coordonnées jusqu'à maintenant, fit Yves, on ne va pas le faire ce soir.

— On ne sait jamais, dit Philippe, je peux avoir besoin de nouvelles fenêtres. Maintenant que tu m'as sensibilisé aux charmes de l'armature métallique galvanisée, j'ai revisité quelques certitudes. Qu'est-ce que le travail du philosophe sinon de voir le monde de sa fenêtre ? Il se doit d'être à la pointe de la technique dans ce domaine, une bonne isolation phonique pour ne plus se laisser distraire par les brouhahas de la civilisation, et un film réflectif pour voir sans être vu, comme un observateur bienveillant qui garde un œil sur tout. Yves Lehaleur, tu peux faire de moi cet être supérieur.

— Ne plus avoir d'intellectuel dans mes relations va me manquer. Ce qui me console, c'est que je vais enfin pouvoir lire un de tes bouquins. Tant qu'on était copains, je repoussais l'échéance, je redoutais de ne rien comprendre et je me disais : « Peut-on continuer à boire des bières avec un type dont les théories sont incompréhensibles ? »

— Lis *De la désinvolture*. Je ne sais pas trop ce que tu appelles une théorie, mais dans celui-là il n'y a rien de semblable.

— Moi, dit Denis, je te proposerais bien de venir dîner à la brasserie, mais uniquement si tu y viens avec Mia. Inutile de te dire les points que je marquerais vis-à-vis de ma direction.

— Si vous cuisinez cette algue verte qu'on ne trouve qu'au Japon, c'est jouable.

Philippe se leva, leur serra la main, et rentra chez lui, déjà nostalgique des ténébreuses postures de qui a un jour rejoint une société secrète.

192

*

Depuis qu'une femme avait bafoué le brave petit monsieur qu'il s'efforçait de devenir, cent autres l'aidaient aujourd'hui à révéler un nouveau Lehaleur, insoupçonnable, même dans ses rêves les plus permissifs. L'homme jadis marié ? Un imposteur que cet homme-là. À la longue, il n'aurait plus su donner le change et se serait étiolé, il aurait laissé l'amertume ronger son couple et aurait fini par blâmer sa femme pour toutes celles qu'il n'avait pas connues. Et quel sacrilège de ne jamais connaître Béatrice, qui lui avait fait rencontrer Albane, qui lui avait présenté Mariya, qui lui avait recommandé Éléonore. Yves oubliait vite les mauvaises expériences pour ne garder que la magie de ces instants, sans chercher à les retenir ni à les reproduire.

Kim, sa première Asiatique, l'avait lavé et massé de tout son corps. Un traitement de guerrier. Au matin, il s'était senti assez fort pour lever une armée de samouraïs mais s'était contenté d'aller poser des fenêtres. Mona, entre deux vicieuses péripéties, avait elle-même réclamé d'être fessée ; Yves avait su trouver assez d'autorité pour rendre le jeu piquant et faire de lui-même un dominateur. En proie à une force irrépressible, il découvrit à quel point l'excitait la docilité féminine quand elle était offerte et scellée par un pacte tacite. Il en eut confirmation quelques nuits plus tard quand Camille lui avait proposé de le rejoindre avec sa camarade Rachel. *C'est une diablesse...* Un rêve allait devenir réalité sans même avoir besoin d'en faire le vœu. À elles deux, elles lui avaient offert une infinité d'enchaînements qu'il avait tous voulu tenter. À le voir présumer de ses capacités, elles s'étaient moquées de lui mais avaient respecté ses mises en scène. Au matin, il s'était réveillé avec Camille blottie contre lui, et Rachel blottie contre Camille : sans doute la plus délicieuse de toutes leurs figures. Avec Éla, la Levantine aux cheveux rouges, il avait osé bien pire en inversant les rôles ; durant toute la séance, il l'avait traitée comme une cliente qui s'offre un gigolo : *Qu'est-ce qui te ferait plaisir ?* Une question bien plus gouleyante pour ceux qui la posent que pour ceux qui l'entendent.

Cependant, le délicat frisson chaque fois qu'il ouvrait sa porte à une inconnue avait fini par s'émousser. La recherche frénétique de nouveauté l'avait physiquement éprouvé, et les deux ou trois rendez-vous passés à faire s'estomper la méfiance d'une nouvelle venue lui coûtaient de plus en plus. Yves préférait désormais consacrer ce temps-là à celles qu'il explorait chaque nuit un peu plus, et celles-là, hormis Kris, étaient au nombre de quatre.

Agnieszka, sa Polonaise au visage d'ange. Au lieu de les éloigner, le barrage de la langue les avait rapprochés. Si elle se racontait sans se soucier d'être comprise, Yves se fichait bien de la convaincre. Leurs grognements, leurs rires, leurs caresses, leur façon de trinquer en disaient bien plus que la moindre phrase articulée. Entre deux ébats, ils divaguaient, s'exaltaient, se moquaient l'un de l'autre.

— Jak będę kurwić się dalej to nie ma mowy o założeniu rodziny.

— Avec qui couches-tu sans te faire payer ?

— Nie bądź za dumny z tego twojego kutasa.

— Hier j'ai posé des volets électriques dans une maison de fous.

— Tęsknie za rodzicami i za siostrą też.

Entre deux sommeils, ils se livraient, se lamentaient, se consolaient. À leurs intonations, ils devinaient la gravité, l'ironie, le scabreux. Dans leurs silences, ils entendaient la tristesse, l'apaisement, la confiance. Grâce à elle il avait retrouvé une acuité d'écoute qu'il avait perdue après quelques années de mariage. Sur ce plan, ce n'était plus son ex-femme qu'il incriminait mais lui-même ; à la longue, il ne décelait plus rien dans les silences de Pauline, pas même la détresse, l'ennui ou la déception. La paresse l'avait emporté sur sa galanterie, et les apostrophes sur ses hommages. Avec Agnieszka il n'avait plus à craindre l'érosion du dialogue amoureux. Yves goûtait aux joies d'une autre conversation en approchant la bouche de son sexe aux lèvres fines, et muettes jusqu'à ce qu'il les embrasse.

Avec Sylvie, le temps passait aussi de douce façon, mais dans un registre bien différent. Elle appartenait à une espèce diurne qui s'épanouissait à la lumière naturelle. Quand il parvenait à libérer un après-midi, Yves la recevait jusqu'à ce que la pénombre du soir l'incite à disparaître. Sylvie était une créature de gourmandise et de volupté, un être subversif. Des fesses, des hanches, des seins d'une totale impunité, des formes outrageantes pour l'époque mais assumées avec arrogance. Elle résumait à elle seule tant de combats de femmes délicieusement perdus. Elle se fichait bien de son indépendance et assumait pleinement de vivre des largesses des hommes. Aucun sens de l'effort mais celui de l'hédonisme à l'excès ; même adolescente elle n'avait pas cherché à lutter contre sa tendance à l'embonpoint, elle y avait puisé son style, son art de vivre. Elle aimait être nue, elle aimait ne rien faire, elle aimait poser pour des peintres imaginaires, elle aimait s'abandonner tout entière à son indolence. Elle raffolait des poires en toutes saisons et dégustait les pâtisseries au détail à même la boîte. Elle riait quand dans la rue on la traitait de grosse et, quand on tentait de la réduire au rang de femme-objet, elle s'imaginait volontiers en sculpture monumentale, riche de toutes les symboliques. Elle ronronnait quand Yves la caressait des pieds à la tête dans un voyage tactile qui empruntait souvent des détours imprévus. Elle appelait ses clients *mes hommes*, et les estimait tous, car tous lui renvoyaient une image de déesse de la terre. Deux d'entre eux avaient cependant un statut particulier.

Comme quantité de ses consœurs, Sylvie était affublée d'un julot casse-croûte, un fiancé complaisant qui vire au maquereau à la petite semaine, qui joue les durs à domicile, et qui sort prendre l'air quand madame reçoit. Yves ne parvenait pas à comprendre comment un être aussi aimable et délicat que Sylvie s'était entiché de son odieux contraire, un petit nerveux, lâche et autoritaire, dont le seul empire ici-bas était celui qu'elle lui laissait prendre. *Il est bête et méchant, je sais, mais il n'a que moi.*

Par chance, l'autre homme de sa vie, un certain Grégoire, client de la première heure, lui avait un jour avoué ses sentiments. Et l'histoire, absurde et capricieuse, de cet homme-là, aurait eu sa place dans le cercle du jeudi soir. Grégoire était riche, bien fait de sa personne, et libre de surcroît, mais incapable d'assumer publiquement sa passion pour Sylvie. Non parce qu'elle se prostituait, mais parce qu'il était le diététicien le plus couru de la capitale. *Son problème, c'est que les anorexiques ne le font pas bander...* Grégoire vénérait le corps de Sylvie comme un homme de pouvoir vénérait sa dominatrice. Parfois il lui donnait rendez-vous dans son cabinet, où elle passait pour une cliente obsédée par son surpoids, et il se jetait à ses pieds, pris par l'envie irrépressible de lui enserrer la taille, de caler la tête contre son ventre dans une douce attitude régressive. Quand il l'invitait chez lui, il prenait mille précautions afin que personne ne la croise dans l'escalier mais, une fois dans les murs, il laissait libre cours à ses mille fantasmes d'opulence et à son furieux désir de se perdre dans ses chairs.

— Il a mis des années pour créer sa gamme de produits, des substituts de repas, des tisanes drainantes, des trucs comme ça. Il ouvre des boutiques partout. C'est l'ami des stars. Y a sa photo dans *Paris Match*. Avoir une pute à son bras ne le dérangerait pas, au contraire, ce serait un must. Mais une grosse, ça...

Yves l'écoutait avec bienveillance mais se gardait bien de réagir et laissait Sylvie tiraillée entre son maquereau pitoyable et son client rongé par la honte.

Parmi ses autres amantes, il y avait Céline, l'animal à sang chaud. Yves avait reconnu en elle sa femelle. Saillir, griffer, grogner, mordre, dévorer. Leur désir ressemblait à du rut, leurs râles à des feulements. Quand ils avaient pris rendez-vous pour le soir, il passait la journée dans un état de fébrilité jusqu'à son arrivée, où elle dévoilait des dessous toujours différents avant de se ruer sur son client. Céline n'avait aucune pudeur, aucun complexe, elle était d'accord pour tout, ne se formalisait de rien. Du temps où il était marié, Yves veillait, tout autant que Pauline, à toujours rester en deçà d'une limite, jamais formulée, où l'intime risquait de basculer dans le *sale*. Il avait suffi de quelques gestes d'évitement de part et d'autre pour cerner et s'interdire ce territoire obscur où s'ébattaient les dépravés. Fallait-il être tourmenté par de bas instincts pour s'efforcer de ne jamais leur céder. Céline était si charnelle que seule s'exprimait son innocence ; rien n'était sale ni pervers, mais tout divinement naturel. Yves n'y voyait que l'expression d'une licencieuse tendresse.

J'aime le cul, mais ce n'est pas pour ça que je fais la pute. Céline avait un autre idéal professionnel qui lui semblait bien moins accessible que la prostitution.

— De formation, je suis céramiste.

— … ?

— J'ai fait l'école de Sèvres, je suis diplômée des Arts appliqués, et j'ai fait un stage chez le meilleur potier de la place. Je sais fabriquer et peindre des assiettes, des vases, j'ai même dessiné quelques modèles encore vendus dans le commerce. On peut trouver une de mes tasses à café dans la boutique du musée d'Art moderne.

— Alors qu'est-ce que tu fais chez moi toute nue au lieu d'être devant ton four ?

— Je ne sais toujours pas si je suis une pute qui a un petit talent pour la céramique, ou une céramiste qui fait la pute en attendant de vivre de son art.

Si Yves les aimait toutes pour ce qu'elles étaient, il aimait Maud pour ce qu'elle n'était pas. D'entrée, elle avait précisé ne pas être une prostituée mais une *escort*, et prétendait choisir les hommes à qui elle dispensait ses faveurs, jamais l'inverse. Elle se voulait racée, altière, geisha, la frange noble des putains. À l'entendre, elle passait ses journées dans des palaces, entourée des grands de ce monde qui payaient cher sa compagnie. Y croyait-elle elle-même ou lui suffisait-il d'en convaincre les autres ? Maud était une faussaire. Quel bonheur de la voir apparaître dans son uniforme Chanel, avec ses lunettes Dior et un jack russell sous le bras — une pauvre bête habituée à patienter sur un coin de moquette durant les prestations de sa maîtresse. Maud se maquillait juste assez pour paraître en forme et misait sur son éternel bronzage qui ne devait rien au soleil des Seychelles mais à des séances d'U.V. hors de prix. Elle s'installait de trois quarts sur le canapé, les jambes croisées, acceptait une tasse de Darjeeling, versait le nuage de lait sur le thé, pas le thé sur le nuage de lait, puis racontait quelque anecdote sur une *mission* outre-mer à la limite du secret d'État. Yves était attendri par tant d'égarement sur soi-même : fallait-il avoir la candeur d'une adolescente pour se vivre en courtisane du nouveau millénaire. Quel avait pu être le parcours d'une Maud ? Peut-être avait-il suffi d'un été passé sur un yacht où un milliardaire avait su la convaincre de satisfaire ses caprices ; cet été-là avait duré assez pour qu'on lui présente d'autres milliardaires bien décidés à croquer ses vingt ans. À la fin de cet été-là, faute de pouvoir mener son train de vie, elle avait endossé le personnage de Maud pour ne plus le quitter.

Ne te déshabille surtout pas ! lui ordonnait Yves avant de la prendre debout, dans son tailleur et ses bas en dentelle. Ah le grand talent de Maud pour la respectabilité. Ses gestes de douairière, son érudition de demi-mondaine, son docte phrasé de dame patronnesse. À travers elle, il baisait la maîtresse d'école, la châtelaine, la femme du maire, celle du banquier, et toutes ses clientes des beaux quartiers, inaccessibles. Combien de Maud avait-il visitées en bleu de travail, encombré de vasistas à isolation phonique ? Presque toutes lui proposaient une bière et l'appelaient *monsieur le technicien* pour éviter le mot ouvrier. Il s'amusait de leur façon de dire *Pour vous* en glissant un billet dans la main de l'homme de peine. Emballées dans la soie, fleurant le Guerlain, rarement hautaines mais juste un peu trop affables. Maud les incarnait toutes à la fois.

De quoi délicieusement le guérir de son complexe de classe.

Incapable de trouver une explication rationnelle à la présence de l'intruse, Denis fut bien forcé de remettre en question sa propre santé mentale. Après tout, n'ayant jamais touché ni même frôlé Marie-Jeanne Pereyres, il n'avait aucune preuve de sa matérialité. Apparue au plus fort de sa dépression, ne pouvait-on voir en elle une émanation de son inconscient, rongé par cinq années de frustration ? En proie à un syndrome délirant, son esprit perturbé avait fixé l'image obsessionnelle d'un désir : Marie-Jeanne Pereyres n'existait pas. Avec une médication mieux adaptée, elle ne se serait jamais manifestée.

Assurément, un symptôme aussi grave était répertorié dans le grand livre de la psychiatrie, mais un doute remettait en question la thèse de l'hallucination. Si Marie-Jeanne Pereyres n'était qu'une projection pathologique, pourquoi s'imposer une vision si peu fantasmatique ? Pourquoi ces cheveux plaqués, cette bouche un peu tordue, ces chaussettes montantes de scout ? Et pourquoi pas une créature échappée des rêves, un mirage de femme issu de mille désirs inassouvis ? Il l'avait espérée si longtemps, il l'avait cherchée dans le lit au réveil, il avait cru la croiser tant de fois dans la foule, il l'avait habillée et déshabillée sans cesse : dès lors pourquoi si peu d'imagination dans la fabrication mentale ? Si sa projection avait été une perfection onirique, Denis n'aurait pas même cherché à s'en guérir. Au contraire, il l'aurait installée dans sa folie, il aurait fermé sa porte aux médecins et leurs tristes thérapies, pour vivre un bonheur sans fin, amoureux d'une illusion, mais quel homme ne l'était pas ?

Décidément, rien ne semblait confirmer l'hypothèse de la projection. À moins d'y débusquer une vérité plus profonde encore et tout aussi inquiétante. Et si, au lieu de représenter la femme tant attendue, Marie-Jeanne Pereyres révélait la part d'ombre de Denis Benitez, son double obscur ? Le reflet de son moi, plus accompli ou plus monstrueux, que l'on n'ose affronter mais qui un jour s'impose, soit pour écouter nos doléances, soit pour annoncer un triste sort. Denis pouvait voir sa douloureuse dialectique avec l'intruse comme un débat permanent avec lui-même, le parfait énoncé de ses désirs à un hypothétique *Autre*. Mais là encore, pourquoi avoir choisi comme miroir de l'âme une Marie-Jeanne Pereyres ? Comment imaginer en elle son jumeau maléfique ? À vous décourager de la tentation de l'alter ego ! À quoi bon se fatiguer à formuler sa vérité cachée à une vision en chemise de nuit, affalée de guingois sur un canapé râpé ? Même le psychotique le moins inspiré était capable de mieux.

Autant se rendre à la raison : rien ne donnait à Denis la certitude de son propre dysfonctionnement psychique. Du reste, dès qu'il passait son tablier de serveur, il oubliait jusqu'à l'existence de l'intruse et se laissait étourdir par l'incessant brouhaha de la salle, par les exigences de cent clients pressés, capricieux, esseulés, autoritaires ou radins : comment garder le cap dans cet océan de nervosité sans y voir l'irrécusable preuve de sa bonne santé mentale ? Répondre cent fois par jour à la question *Je peux avoir des haricots verts à la place du riz ?*, sans jamais envoyer personne se faire foutre, était même le signe d'une grande résistance nerveuse.

Marie-Jeanne Pereyres n'en restait pas moins un de ces phénomènes inexplicables qui poussent l'être le plus rationnel à s'aventurer dans les zones ténébreuses du paranormal. Depuis son apparition, Denis avait revu à la baisse toutes ses pragmatiques certitudes. Personne n'avait envie de voir l'irruption dans sa vie de manifestations étranges, mais comment ne pas imaginer l'intruse comme une présence surnaturelle apparue dans le monde physique sous la forme d'un ectoplasme, ou même un fantôme venu habiter l'enveloppe charnelle d'une Marie-Jeanne Pereyres pour perpétrer un obscur dessein ? Plusieurs hypothèses s'ébauchaient alors ; si l'intruse s'était introduite chez lui pour ne plus en sortir, pourquoi ne pas en déduire que le lieu habité avait bien plus d'importance que son locataire ? On pouvait l'observer comme une âme errante venue hanter un espace où jadis elle avait subi des événements dramatiques. Si tel était le cas, inutile d'espérer s'en débarrasser sinon en mettant le feu aux meubles, ou en attendant que le revenant ait trouvé la délivrance. À moins que l'intruse ne soit un de ces spectres animés d'intentions bienveillantes, dont la mission consistait à porter un message de l'au-delà à un humain en détresse. Un postulat plausible, mais quel était donc ce message, nom de Dieu ?

*

Avec une prostituée, le meilleur moment est celui où l'on monte l'escalier, disait le bon sens populaire. Kris se plaisait à inverser la proposition : rien n'égalait cette courte minute où elle grimpait les deux étages de chez Lehaleur. Un rendez-vous chez son *client de cœur* augurait d'un moment paisible et sincère, sans fard et sans négoce, sans lutte. En arrivant chez lui, elle prenait possession de l'espace comme une copine de toujours, s'affalait dans le canapé, buvait le verre qu'il lui tendait, ôtait ses chaussures — *Je passe ma journée en taxi et j'ai mal aux pieds comme une vieille tapineuse.* Puis ils dînaient tel un vieux couple et le rituel voulait qu'Yves lui racontât ses dernières expériences avec ses consœurs. Elle l'écoutait, s'autorisait parfois un avis mais s'interdisait d'avouer sa colère : *Je ne supporte plus que tu me parles d'elles, je découvre un sentiment inconnu qui me fait peur, une pute n'a pas le droit d'être jalouse, c'est absurde.* Après une tendre nuit dans les bras d'Yves, la colère de Kris se ravivait au matin en trouvant des billets pliés sur un coin de table.

— J'en fais payer tant d'autres. Pourquoi toi ?

— Tu dois gagner ta vie.

— Je n'ai pas le droit d'avoir un geste ? D'user de mon libre arbitre ? Tu ne me verras jamais que comme une pute ?

Yves préférait ne pas voir les signes de son attachement pour lui, ses questions trop directes, ses confessions — *Tu peux m'embrasser sur la bouche si tu veux, mais dans ce cas, tu n'en embrasses aucune autre.* S'il avait une grande estime pour elle, il ne l'aimait pas assez pour ne pas la payer. À quoi bon prendre le risque de changer la moindre composante de leur équation, de mettre en péril ce fragile équilibre qui passait par la transaction. L'aspect pécuniaire, loin de lui paraître sordide, lui garantissait à la fois plaisir et détachement. Yves payait une prostituée avec la même ferveur qu'une prostituée tenait à l'être. Et il aurait pu en être ainsi encore longtemps si Kris n'était tombée dans un piège qu'involontairement il avait tendu. Depuis leur rencontre elle s'était défendue de tout sentiment en cherchant à le diminuer coûte que coûte, à le ranger, comme les autres, dans le clan des faibles ou des retors. Malgré ses efforts il lui fut impossible de le mettre K.-O., de le faire pleurer, de le faire mendier, impossible de le réduire à un vice, à une infériorité, à une supplique, impossible de le détester pour sa brutalité, pour sa familiarité, pour sa mesquinerie, impossible de le mépriser pour son arrogance de mâle, impossible de le ridiculiser pour ses criailleries d'enfant, impossible de le mener par le bout de la queue. Kris, jusqu'alors invaincue, avait perdu ce combat-là. Désormais, quand elle subissait tout le jour des mains partout sur elle, tolérait des sexes dans tous ses orifices, elle n'éprouvait plus l'urgent besoin, le soir, de se réapproprier son corps, mais de le précipiter dans les bras de Lehaleur. Ce salaud-là ressemblait à s'y méprendre au compagnon d'une vie.

À force de la voir prendre des libertés inattendues, se targuer d'une légitimité acquise on ne sait comment, ou revendiquer son statut d'initiatrice, Yves se demandait maintenant si cette liaison devait durer. Il avait attendu ce soir-là pour lui en parler, soucieux de comprendre ce qui la chagrinait, pour, peut-être, revenir à leur bonne vieille routine. Il n'eut pas le temps d'aborder la question. Elle le fit pour lui.

Lehaleur, il faut que je te parle.

Elle se sentait fatiguée et vulnérable, perdue comme elle ne l'avait jamais été depuis ses débuts dans la profession.

Je dois mettre de l'ordre dans tout ça. J'y pense depuis des semaines déjà... C'est devenu trop dur...

Yves regretta de n'avoir pas pris la parole le premier.

Je ne suis pas assez indépendante pour continuer seule...

Dans son discours déjà fort décousu, elle se mit à décrire avec précision sa maison de Ville-d'Avray, en bordure de la forêt. Préservée, tranquille.

Mais bien trop grande pour moi depuis que mes parents se sont installés dans le Sud.

La suite devenait intolérable.

Jamais on ne s'est occupé de moi comme tu le fais ici... Nous pourrions faire une bonne équipe, tous les deux... Je gagne très bien, tu sais... Tu n'aurais plus besoin de travailler autant...

Et soudain, le silence.

Yves afficha le sourire de l'idiot qui refuse de comprendre. Tout ce qu'il venait d'entendre lui rappelait l'échec de sa vie antérieure : il était question de toit, d'argent, de couple, mais ces mots-là réunis dans la bouche de Kris en appelaient un autre.

— J'ai sûrement mal compris. Tu veux que je joue les maquereaux ?

— Qui t'oblige à employer un mot pareil ? J'ai besoin de penser à un homme quand je pars travailler, j'ai besoin de savoir qu'il sera là le soir, qu'il pansera mes plaies, celles qui se voient et les autres.

Quelle faute avait-il commise pour se voir proposer une offre aussi immonde ? C'était n'avoir rien compris à lui que de lui soumettre une image de bonheur aussi corrompue. Yves se sentit affublé de hardes nauséabondes qu'il voulut tout à coup mettre en pièces.

— J'ai une question à te poser, Kris. Y a-t-il une honte à fréquenter des prostituées ?

— Qu'est-ce que tu veux dire ?

— Comment ne pas se confronter aux questions morales quand on paie autant de filles que moi ? Ai-je seulement le droit d'avoir recours à ce commerce ? Pour beaucoup, ça fait de moi un pauvre type. On peut y voir la mainmise ancestrale de l'homme sur le corps des femmes, le besoin séculaire d'en faire une marchandise. À d'autres moments, je ne me sens pas coupable le moins du monde ; celles qui me vendent leur corps — tout du moins celles que j'ai envie de revoir — ne me semblent pas brader une once de leur dignité. Je les traite avec un respect qu'elles me rendent, et je ne les blâme pas pour le choix qu'elles ont fait de tarifer leurs charmes. Mais, quoi qu'il arrive, je n'aurai jamais la conscience tranquille, et les questions morales n'auront jamais de réponses, c'est ainsi depuis que le monde est monde.

— Où veux-tu en venir ?

— Je peux essayer de comprendre ce qui se passe dans la tête d'un gangster, d'un tueur, d'un mercenaire. Je peux m'intéresser au cas d'un psychopathe, d'un malade mental. Je peux essayer de dépasser mes propres tabous pour tenter d'entrevoir une logique autre que la mienne, même monstrueuse. Mais face à un maquereau, un violeur ou un type qui lève la main sur sa femme, j'ai honte de faire partie de l'engeance masculine. Ceux qui exploitent ou maltraitent le corps des femmes ont renoncé à être des hommes : ce sont des animaux. Ils m'inspirent des sentiments haineux qui pourraient faire de moi le pire des bourreaux. Et toi, tu serais prête à me proposer cet arrangement abject ?

— ...

— Je viens de comprendre pourquoi on appelle les bordels des maisons de tolérance : les putes y tolèrent tout.

— ...

— C'est à ma dignité d'homme que tu as porté atteinte ce soir. Et je crains de ne jamais te pardonner.

*

— Je me suis permis de poser le courrier que la concierge a glissé sous la porte sur la petite console.

Marie-Jeanne se tut de peur d'en avoir déjà trop dit ou trop fait. Denis la toisait, prêt au combat, priant pour qu'il soit sans merci. Ce soir, il se sentait assez fort pour enfin faire la peau à ce spectre.

— Vous avez déjà habité ici ?

— Pardon ?

— Ne m'obligez pas à me répéter : connaissiez-vous cet appartement avant que je ne prenne la décision funeste de vous y laisser pénétrer ?

— Non, jamais. C'est tout juste si je connaissais votre quartier.

— Vous avez souffert ici dans une autre vie ? Je suis prêt à tout entendre.

— Souffert ? Dans une autre vie ? Qu'est-ce que vous vous êtes encore mis en tête ?

— Répondez !

— Ni dans une autre vie ni dans celle-ci. Quoique, dans celle-ci, vous ne soyez pas toujours commode.

— Vous savez ce qu'est un poltergeist ?

— Non.

— Et un périsprit ?

— Un quoi ?

— C'est le second corps que vient habiter l'âme d'un mort.

— J'ai la sale impression que vous avez ouvert des dictionnaires.

— Elle vous plaît cette enveloppe charnelle ? Vous vous sentez bien, dedans ?

Marie-Jeanne baissa la tête pour se regarder du

buste jusqu'aux pieds, passa les mains autour de sa taille, souleva sa chemise de nuit pour inspecter ses mollets que les chaussettes tombées sur les chevilles ne cachaient plus.

— Oui, ça va.

— Vous ne laissez aucune trace nulle part dans cette maison, pas une miette, pas un bout de kleenex, pas un cheveu dans la baignoire, ce n'est pas humain, surtout pour une femme.

— Parfois je vous envie, Denis. Vous vivez dans un monde merveilleux où les détails saugrenus deviennent passionnants.

— Vous vous nourrissez ? Vous vous lavez ? Faites-vous seulement partie de ce monde matériel ?

— Faudrait savoir. D'habitude, vous me reprochez d'être trop présente, trop lourde, vous me reprochez d'avoir un corps.

— En fait, je vais vous dire : vous n'existez pas. Vous êtes une projection de mon esprit malade.

— Une projection ? Mon Dieu ce que j'aurais aimé être une projection de femme ! Une créature fantasmatique, un idéal, avec une pointe de fatalité pour atteindre la perfection... D'autant que votre projection à vous doit être gratinée.

— À moins que vous ne soyez un banal fantôme, comme on en trouve dans les légendes, les rumeurs, les manoirs et les bistrots de campagne. Je préfère de loin la seconde hypothèse, vous correspondez à l'idée que je me fais d'un ectoplasme. Une présence envahissante mais sans aucune réalité, vous êtes une hantise.

Marie-Jeanne se sentit tout à coup démunie devant tant d'élucubrations.

— Hélas, je ne suis pas un pur esprit mais un être de chair qui a besoin de ses deux mille calories par jour et qui bien souvent les dépasse. J'aime les bains de pied très chauds en fin de journée, je rajoute du gros sel dans la bassine sans savoir à quoi ça sert, mais ma mère le faisait et je le fais aussi, sinon le plaisir serait moindre. Je dors dans une chemise de nuit en coton blanc qui a un peu la consistance du lin, je ne peux plus m'en passer depuis le matin où je suis allée chercher mon courrier à peine sortie du lit et qu'un voisin m'a dit : « Elle vous va bien cette petite robe d'été. » J'ai de la cellulite, pas trop pour mon âge, mais j'ai aussi un léger bourrelet sur le ventre qui semble s'être sédimenté, parfois je pense à la liposuccion mais jamais sérieusement. Je fais mes lessives le jeudi afin de pouvoir repasser le vendredi, mais quand le temps est très humide, je fais mes lessives le mercredi pour que ça ait le temps de sécher. J'ai des aigreurs d'estomac depuis toujours, j'ai en permanence une plaquette de Maalox sur moi, et si je bois du champagne j'en prends deux à l'avance. Il paraît que je ronfle quand j'ai bu mais je refuse d'y croire. Autre détail quand j'ai bu : je n'ai pas le courage de me laver les dents, et je m'écroule dans le lit direct. J'ai horreur de me couper les ongles de pied, ça m'oblige à prendre une posture débile, et bien souvent j'attends que mon collant file au gros orteil, ça n'est pas très féminin mais c'est comme ça. Je me souviens d'une randonnée de trois jours où je ne me suis pas lavée, et je garde un bon souvenir de mon odeur âcre. Quand je me fais une teinture au henné, je m'enferme dans la salle de bains avec un sac en plastique sur la tête en attendant que ça prenne. Je m'épile à la cire. J'ai une broche dans le genou gauche. Mon estomac gargouille sur le coup de midi, surtout dans un bus. Je sais faire les rouleaux de printemps comme une vraie petite Vietnamienne. Ça n'a l'air de rien mais ça n'est pas si simple, il faut aligner les germes de soja dans le même sens, puis saupoudrer la menthe ciselée, la carotte râpée, les cheveux d'ange, et disposer les crevettes en S, mais le plus dur c'est de rouler serré tout en rabattant les angles afin que le rouleau reste hermétique. Pour acquérir ce tour de main, il faut une longue pratique du monde réel, des choses de la vie, des réalités physiques qui ici-bas régissent nos petites existences, et non pas vivre dans un monde parallèle tout plein de fées et de revenants.

Un être de chair, avait-elle dit.

Denis en avait douté, en doutait encore, et une irrépressible impulsion l'obligeait maintenant à en avoir le cœur net.

Marie-Jeanne se tenait assise sur le bras du canapé, les mains jointes entre ses jambes, attendant la suite dans une attitude de défiance.

Il se demanda si en passer par là était le seul moyen.

Elle ne l'aiderait pas : à lui de trouver les preuves dont sa foi avait besoin.

Mais cette preuve-là n'allait-elle pas lui coûter plus cher que ne lui coûtaient ses doutes ? Avait-il assez de cran pour courir le risque de voir en Marie-Jeanne Pereyres ni un rêve, ni une essence, ni un spectre, mais une femme tout simplement, ici et maintenant ?

Elle ne l'aiderait pas. Peut-être voyait-il toujours en elle un corps étranger.

Denis avait oublié ce silence-là.

Elle lui sourit comme à un ami. Denis l'émouvait comme l'émouvaient tous les hommes prisonniers d'eux-mêmes.

Il tendit la main vers elle.

8

La suite Anatra de l'hôtel Watu, sur la presqu'île de Nusa Dua, Indonésie, offrait un panorama de 360° sur l'océan. Il s'agissait d'une villa isolée des autres, située au sommet d'une colline, bâtie de petits murs ocre et de cloisons de verre qui irriguaient de lumière deux cent quatre-vingt-dix mètres carrés d'un seul tenant. La piscine à débordement rasait la façade sud et se prolongeait par une enclave conçue pour rafraîchir la chambre à coucher, où un immense lit, à même le sol, affleurait au niveau de l'eau. De rares meubles d'un bois noir créaient l'illusion de pièces indépendantes, un salon, un bureau, ou une salle à manger à ciel ouvert. De longues plantes exotiques donnaient du relief aux volumes, à la pièce d'eau intérieure, à la terrasse. Façade nord, par-delà le jardin floral, une architecture cubique de lamelles de bois ajourées ne semblait avoir aucune fonction particulière, on pouvait y voir une aire de jeu pour enfants, un auvent érodé par le soleil et les pluies, ou même une sculpture contemporaine purement décorative.

Un étroit sentier de planches en tek descendait en pente douce jusqu'au bâtiment principal de l'hôtel et son habituel va-et-vient de touristes et de domestiques. De là, on accédait à la plage de sable blanc recouverte de transats, de parasols, de cabines, de comptoirs. L'onde semblait douce et mourait aux pieds du baigneur mais, au loin, un ressac violent et continu s'écrasait contre le récif de corail. La température en ce mois de juin, tolérable pour un Occidental, atteignait les 30° pour un taux d'humidité de 77 %, et variait peu jusqu'au coucher du soleil, sur le coup de dix-sept heures.

Philippe Saint-Jean quittait le moins possible la villa et commandait ses repas par téléphone, le plus souvent sur la terrasse, face à l'azur infini. Depuis son arrivée au paradis, il y cherchait sa place et ne la trouvait guère, persuadé d'être lui-même un meuble, peu utile et dépareillé. La pire épreuve avait été, avant tout, de se déshabiller. S'affranchir du poids des étoffes. Tomber sa panoplie de petit Parisien pour survivre sous les tropiques. Au placard le tweed, le velours et la maille d'Écosse. Philippe avait dû se découvrir, et se découvrir n'allait jamais sans surprises, le philosophe en lui était bien placé pour le savoir. À quand remontait la dernière confrontation avec sa propre nudité, hors la pénombre d'un lit, hors l'étroitesse de la salle de bains ? À ne voir dans son vieillissement qu'une vue de l'esprit, et dans ses vues de l'esprit son seul atout de séduction, il avait oublié son corps quinze années durant. Aujourd'hui, à mille milles de chez lui, en plein soleil, exposé aux regards, la vérité nue lui sautait aux yeux : peau grise, taches sombres, muscles fondus, bourrelets, affaissements, replis.

Comment avait-il pu se détourner de sa propre silhouette ? Pourquoi avoir traité sa carcasse comme un simple véhicule ? Lui qui avait célébré *le vivant* avec tant d'éloquence se rappelait enfin qu'il était un être carné. Lui qui trouvait si beaux les visages ridés de ceux qui ont tant vécu, si émouvants leurs corps lents et voûtés, ne découvrait dans son propre reflet que négligence. Lui si tolérant avec les disparités physiques et les imperfections d'autrui se pinçait aujourd'hui la peau comme on tâte un fruit blet.

Faute de trouver dans les armoires de Philippe de quoi se dévêtir par 30° à l'ombre, Mia avait dévalisé les boutiques chics : chemisettes en coton du Nil, bermudas de marques, sandales en cuir, maillot de bain coupé short, veste en lin de couleur claire pour le soir. À peine débarquée et déjà happée par le travail, elle lui avait dit : *Profites-en bien, chéri*. Il avait répondu : *On ne peut rien me demander de pire*. Profiter ? Un verbe qu'il détestait, comme toute injonction au plaisir. Et pourtant il s'était attelé à la tâche sous couvert d'une toute nouvelle expérience : la recherche de subtiles sensations liées au seul plaisir d'exister. Lui, organisme vivant de retour dans son bain originel, la mer. Redevenir une créature aquatique et nue, la peau juste revêtue d'un hâle, nageant parmi ses frères poissons. Faire abstraction de ses désirs, de ses craintes et de ses investigations pour atteindre le vieux rêve des Grecs anciens, ce point de juste équilibre et d'harmonie. Retrouver son humilité face aux éléments, se satisfaire de l'horizon sans chercher par-delà, vénérer le soleil comme le seul dieu des athées.

Mais pour atteindre ce vieux rêve, il lui aurait fallu avoir le courage de se confronter à l'infiniment petit de son être, de se considérer comme une simple entité organique, si fragile, si peu pensante, si grégaire. Il lui aurait fallu accepter de se sentir désinvesti et enrayer sa machine mentale jusqu'à la trouver dérisoire et vaine. Ne plus craindre que plus rien n'ait de sens. Oublier le tout et le rien, pour faire l'expérience physique du tout et du rien. Admettre que le stade suprême de la conscience consistait à renier sa conscience.

Mais comment cesser d'être Philippe Saint-Jean ne serait-ce qu'une heure ? Où trouver le détachement pour à ce point se relativiser ? Depuis qu'il était coincé à Bali, le bon vieux *Je pense donc je suis* du cartésien prenait un tout autre sens. Au réveil, une fois Mia partie rejoindre son équipe, il se demandait comment il allait occuper sa journée et, coupable de n'en avoir aucune idée, se raccrochait à un principe : *Je pense donc je ne « profite » pas et me contente de résister*. En fin de matinée, après avoir survolé la presse internationale, il trempait jusqu'à mi-cuisses dans l'eau bleue dans l'espoir de stimuler son corps entier et de puiser une toute nouvelle énergie. En général, un seul tour de bassin suffisait : *Je pense donc je barbote sans joie dans une piscine privée*. En fin d'après-midi, il dressait sans gloire le bilan de la journée avant le retour de Mia, qui, elle, allait lui narrer par le menu une infinité de petits événements. Il se sentait alors un peu plus exclu : *Je pense donc j'existe en tant que penseur dans un monde qui souvent les décourage.* Tard le soir, quand elle s'endormait, il goûtait enfin, sur la terrasse, au temps suspendu, et aux embruns que les vents poussaient jusqu'à lui. *Je pense donc la vie des idées est mon seul rempart contre l'insignifiance.*

Aujourd'hui, il se retrouvait coincé dans un décor de carte postale, et c'était bien le comble pour celui qui, quand il en recevait une, ne regardait jamais la photo et s'en tenait au texte ; un mécanisme inconscient qui en disait long, à la fois sur son besoin de formulation, et sur son désintérêt pour les lieux et les paysages, fussent-ils du bout du monde.

Ce fut là, aux antipodes, en bermuda, sur un transat, qu'il vit comme un sillon tracé dans le sable ce que serait le reste de sa vie. Il allait vieillir au rythme des saisons parisiennes, de plus en plus dépassé par la vitesse et la férocité de sa chère capitale. Mais il y mourrait, parce que là était son seul élément naturel. Grimper les trois étages de son appartement lui serait de plus en plus pénible, mais il ne déménagerait plus de peur de perdre les ondes, les vibrations, les fluides, les fantômes qui s'y étaient accumulés depuis le premier jour. Il continuerait aussi longtemps que possible à tourner en orbite autour d'un concept jusqu'à ce qu'il ait l'illusion d'en avoir fait le tour. Au hasard de ses promenades, il s'attarderait toujours au comptoir des bistrots, siroterait un express, prendrait une note dans son calepin et reluquerait une jupe au passage.

Tôt ou tard, on lui ferait une place au sein d'une académie quelconque, parmi ses pairs. Il se permettrait quelques caprices, quelques colères auprès de sa petite cour d'exégètes prompts à figer sa mémoire avant qu'il ne meure. Et un beau matin, on le mettrait en bière dans un bon vieux tweed, le regard apaisé, prêt à ce tout dernier voyage dont tant de fois il avait questionné la destination.

*

En ouvrant les tiroirs en laqué rouge d'un vieux meuble chinois, Yves Lehaleur fut pris d'une bizarre intuition : une main étrangère avait fouillé parmi les vieilleries entassées là. Il en eut la confirmation en constatant l'absence d'une fiasque à whisky frappée aux initiales de son grand-père paternel — un vieux filou qui avait illuminé son enfance. Horace le magnifique la lui avait offerte, comme d'autres une montre à gousset, en arguant que dans certaines occasions une fiasque remplie d'un alcool fort pouvait sauver une vie, une montre rarement. En général suivait l'anecdote de sa disparition dans une forêt du Vercors par − 12 durant l'hiver 54. *Sans ma fiole de gin, j'y restais, nom de Dieu !* Yves tenait à cet objet comme à aucun autre ; non tant pour sa conception savante — de forme courbe pour épouser le pectoral, avec un bouchon à vis retenu par une fine barrette — ni pour sa noble facture — en argent repoussé et cuir de pécari patiné par la paluche du vieux — mais parce qu'il symbolisait le grain de folie des Lehaleur. Même s'il n'avait aucun enfant

220

à qui le transmettre, la disparition de cet objet excluait Yves de sa lignée, le dépossédait de son rôle de passeur de la mémoire familiale. Dans un autre tiroir, un stylo Dupont tout neuf avait disparu. Pour avoir restauré les volets d'un ami qui ne savait comment le payer, Yves s'était vu offrir cette plume en pointe de diamant qui donnait à celui qui écrivait si peu une calligraphie de monarque. Ne sachant qu'en faire, Yves l'avait gardé pour le jour où il aurait à envoyer une lettre d'amour ou de rupture, lui qui s'était libéré de l'amour, lui qui ne risquait plus la rupture. Il chercha un instant sa caméra de poche et, comme il s'y attendait, ne la retrouva pas. Yves avait beau se défendre de toute nostalgie, c'était le seul cadeau de Pauline qu'il avait gardé. Ayant détruit toutes les photos d'elle, mêmes celles du mariage, il conservait dans l'appareil, sans jamais les consulter, ces quelques prises de vue qui témoi-gnaient de son bonheur perdu — seules les images vivantes avaient cette force-là. Il avait filmé Pauline pendant qu'elle conduisait sur une route de monta-gne en direction d'un chalet qu'on leur avait prêté pour Noël. Radieuse, les joues rosies par le froid, elle décrivait déjà l'enfant qu'ils allaient concevoir, le soir même, face au feu de cheminée ; Yves s'était dit qu'un jour ce document prendrait toute sa saveur en le projetant à leur premier-né. Pris d'un mauvais pressentiment, il se précipita dans un placard, ouvrit une large boîte en métal qui contenait jusqu'alors un porte-documents en cuir, avec, à l'intérieur, une par-tition d'Erik Satie annotée de la main même du com-positeur. Yves la tenait de sa mère, qui la tenait de sa tante Alice, une pianiste qui avait rencontré son maître en 1920 dans sa maison de Honfleur. Yves, bien incapable de différencier un *la* d'un *ré*, éprouvait une curieuse sensation devant cette écriture manuscrite qui donnait des indications de jeu à certaines phrases musicales : « Sans ostentation » ou « Avec une tristesse vigoureuse ». Un sourire amer aux lèvres, Yves se demanda si la voleuse — car c'en était une — avait embarqué la partition pour ce qu'elle représentait ou pour la valeur du seul porte-documents, en cuir de Cordoue incrusté de feuille d'or.

Laquelle ? se demanda-t-il alors.

Laquelle de ses belles de nuit avait commis ce minable larcin ?

Le seul épisode de cet ordre avait eu lieu trois mois plus tôt et s'était heureusement terminé : Annette, effondrée de culpabilité, surprise en pleine nuit, la main sur quelques livres sterling oubliées dans un coin. Yves l'avait consolée sans lui épargner un long discours sur la confiance trahie. À la fin de la nuit, elle s'était fait pardonner à la souplesse de ses reins. Aujourd'hui, il ne pouvait s'agir que de Sylvie, de Céline, d'Agnieszka ou de Maud, mais Yves ne pouvait en soupçonner aucune. Sylvie encore moins qu'une autre. Sylvie l'indolente, la presque ingénue, celle qui un matin lui avait rendu un billet de trop, glissé dans ses derniers émoluments. Céline ? Céline exigeait de payer sa part au restaurant, comme il lui arrivait parfois de quitter le lit d'Yves en oubliant de réclamer son dû. Et Agnieszka ? Âpre au gain, certes, mais terrorisée à l'idée d'ajouter à la prostitution tout démêlé avec la police. Brusquement une image s'imposa, terrible de vérité, et pourtant si agréable : Yves se délasse dans son bain, Maud en profite pour faire une course, il lui indique où se trouvent les doubles des clés, elle s'absente un moment puis le rejoint dans l'eau moussante. Le lendemain matin, il lui suffisait de les glisser dans son sac avant de sortir, de revenir dans l'appartement après avoir vu Yves s'éloigner à scooter, de faire sa petite moisson crapuleuse puis de reposer les clés sur le clou du placard électrique.

Maud. La fausse grande dame. Si vulgaire à force de se prendre pour l'élégance faite putain. Bien trop donneuse de leçons pour ne pas être coupable. Après avoir vendu son corps, elle en était réduite à brader son orgueil. Yves payait cher son fantasme de classe, comme il l'appelait. Depuis ce soir elle n'incarnait plus la respectabilité mais la bassesse, la moindre voleuse de rue avait bien plus d'éthique et de panache. Yves qui se pensait affranchi du passé se sentait aujourd'hui dépossédé des seuls moments clés de sa propre histoire.

La perspective de demander des comptes à la scélérate lui répugnait. Yves anticipait déjà son déni, puis sa honte mal cachée par une indignation forcée. Elle ne retiendrait pas la leçon de cette médiocre fin, et lui n'oublierait jamais son ressentiment envers elle. Il voulut lui laisser une chance de regagner un peu d'amour-propre.

— Allô, Maud ?

— Yves ?

— Tu n'as jamais été aussi difficile à joindre.

223

— J'ai accepté trop de rendez-vous, tu sais ce que c'est.

— On va faire comme si tu ne m'avais pas volé.

— Pardon ?

— On va dire que tu devais prendre une note sur ton agenda et que tu as glissé mon stylo par inadvertance dans ton sac. On va dire que tu avais besoin d'une caméra et que tu as emprunté la mienne. On va dire que, pour apprendre à jouer du piano, tu as décidé de t'attaquer à Erik Satie.

— Qu'est-ce que tu racontes ?

— Toi, si susceptible, comment peux-tu manquer à ce point de dignité ?

— …

— Tu peux tout garder sauf la fiasque, elle est dans la famille depuis toujours et tu n'en tireras rien.

— Dois-je comprendre que tu me soupçonnes d'avoir fait une chose pareille ?

— Je t'imagine pendant l'opération, essayant de déterminer si tel ou tel objet a ou pas une valeur marchande, combien tu pourrais en tirer, et où les refourguer. La partition musicale, tu peux peut-être en obtenir 1 000 € dans une salle des ventes. Ce jour-là préviens-moi.

— Ce procès est odieux. Regarde plutôt du côté de ces petites putes de bas étage qui défilent chez toi.

— Rends-moi cette fiasque et on n'en parle plus.

— Même si j'étais coupable, tu ferais quoi ? Porter plainte ?

— Je n'en resterai pas là.

Sans connaître son nom de famille, ni même son véritable prénom, retrouver Maud n'irait pas de soi, mais Yves avait du temps à perdre et de la patience à revendre. Obtenir réparation importait peu. Il estimait avoir droit à d'authentiques adieux.

*

Qu'un Dieu existât ou non, un ange était tombé du ciel dans le lit de Denis.

Qu'un Dieu existât ou non, la visitation de Marie-Jeanne Pereyres était le signe formel d'une décision céleste.

Qu'un Dieu existât ou non, Denis avait parcouru le chemin de croix des martyrs. On l'avait privé de cet amour terrestre auquel tout homme a droit, puis précipité au fond du gouffre de l'asthénie, jusqu'à ce qu'un ange annonciateur sonne à sa porte.

Qu'un Dieu existât ou non, on accordait à Denis le paradis après cinq longues années de purgatoire. En une seule nuit, Marie-Jeanne Pereyres avait effacé sa rancœur et sa solitude, rassasié ses sens en souffrance. Denis s'était assoupi, les mains agrippées à ses fesses, le visage fourré entre ses cuisses, son odeur pour tout oxygène, ses hanches comme seule amarre.

Qu'un Dieu existât ou non, un être supérieur avait le pouvoir de réunir toutes les femmes en une seule, de lui donner les contours parfaits d'une créature en qui Denis s'emboîtait comme la pièce manquante.

Seuls les impies ont besoin de preuves. La sienne

palpitait dans son lit. Denis désormais ne doutait plus d'elle, qu'un Dieu existât ou non.

*

À la tombée de la nuit, Mia se fit raccompagner à l'hôtel, puis rejoignit sa villa où Philippe l'attendait, agacé par l'ennui, prêt à défourailler un arsenal de griefs. Il se força alors à lui demander comment s'était déroulée sa journée de travail, redoutant déjà qu'elle ne prononce un certain mot.

— On était dans une espèce de crique artificielle, à la pointe ouest. Ce matin j'avais un paréo et un chapeau de paille. Cet après-midi, j'avais un maillot Érès une pièce, couleur chair. Le deuxième *shooting* a duré 3 h 40.

Philippe admettait tous les néologismes et les formules idiomatiques aptes à enrichir la langue. Mais ce *shooting* comprenait trop de détestables connotations et résumait à lui seul la dérisoire urgence à représenter un monde sans la moindre réalité matérielle. Il y percevait l'agressivité des annonceurs, la frénésie des stylistes, le mitraillage du photographe et sa volonté inconsciente de tirer sur une cible vivante.

Si Philippe s'ingéniait à critiquer les clichés véhiculés par la mode, il n'épargnait aucun autre aspect de l'art photographique qui, selon lui, n'avait plus lieu d'être. Après un siècle de profusion d'images, journalistiques et publicitaires, excitantes ou subversives, accusatrices ou décoratives, mensongères ou criantes de vérité, toutes d'un esthétisme

226

parfait, plus aucune n'avait le pouvoir de charmer, d'informer, de choquer ou même de faire rêver l'homme de la rue — qui parvenait fort bien à constituer sa propre iconographie avec un appareil à trois sous. La photo dite professionnelle n'avait aujourd'hui pour seules vocations que d'emballer une marchandise ou de voler l'intimité d'autrui. Dans les deux cas Mia était concernée, tantôt prestataire, tantôt victime, et Philippe se chargeait de le lui rappeler, histoire de réduire ses valeurs à bien peu.

— Renseigne-moi : le terme *shooting* désigne-t-il autre chose qu'une *prise de vue* ? Ou une simple *séance de photo* ? Si c'est le cas, pourquoi utilises-tu *shooting* quand tu veux simplement dire *prise de vue* ?

— Pas plus tard qu'il y a deux jours, tu m'expliquais que le terme *Dasein* désignait un concept philosophique dont l'équivalent français serait *l'être-au-monde*.

— … ?

— Alors pourquoi utilises-tu le mot *Dasein* quand tu veux simplement dire *l'être-au-monde* ?

À la longue, Philippe ne s'indignait plus de ce genre de raccourcis. Lui, si agile de la parole, si prompt à développer, avait renoncé aux joutes verbales avec Mia pour s'en tenir à l'hypocrisie de ceux qui ont tant querellé, épuisés par l'argumentaire de l'autre, et lassés de fourguer le leur. Pire encore, l'homme dont la vocation était de formuler le monde avait poussé l'art du non-dit au rang de dialectique appliquée. Il se retenait donc de répondre : *Je pourrais t'expliquer mais j'aurais peur que tu te grilles de précieux neurones*, et préférait conclure par :

— Demain j'essaierai d'imaginer la fusion du *Dasein* et du *Shooting*, ça m'occupera.

Mia ressentait la même usure et s'en protégeait de la même manière. Habituée à envoyer paître le premier venu, elle produisait un effort inouï pour taire à Philippe ce qu'elle brûlait de lui renvoyer au visage.

— *(Pourquoi m'agresses-tu dès que je rentre, après avoir bossé dix heures sous le cagnard ?)* Et toi, ta journée ?

— Comme hier, rien de particulier.

— Pourquoi n'irais-tu pas faire un tour dans l'île ? Tu trouverais peut-être des locaux avec qui communiquer ? *(Et tu pourrais t'extasier sur leur richesse culturelle, leurs rites ancestraux préservés de cette décadence occidentale dont je suis selon toi une icône vivante.)*

— Je crains ma chérie que les locaux, comme tu dis, ne soient tous trilingues et très au fait des taux de change. *(Ce qui cadrerait mieux avec ta vision du monde : un terrain de jeu peuplé d'individus de toutes races nés pour te servir.)*

— Essaie au moins de ne pas rentrer à Paris aussi blanc qu'à ton arrivée. Moi j'ai complètement cramé mon capital solaire, mais toi tu devrais en profiter.

— *(Ce capital solaire rime avec « connerie de publicitaire ».)* Je suis heureux d'apprendre que je suis à la tête d'un capital, chérie.

Après les amabilités d'usage, ils s'habillèrent pour dîner dans le restaurant de l'hôtel où ils firent une entrée remarquée. Mia signa un autographe, répondit aux saluts, goûtant par-dessus tout l'agacement de son compagnon à chaque nouvel hommage. S'ensuivit un appel de son agence, qui profitait de ce créneau horaire, entre travail et sommeil, pour tenir à jour les dossiers en cours. Philippe n'en perdit pas un mot, stupéfait par sa fermeté dès qu'elle parlait d'argent.

— Quel festival ? Connais pas. À moins de 150 000 €, je ne bouge pas un cil.

Comment pouvait-elle être si aguerrie, et pour de pareilles sommes, elle qui ne savait pas à quoi ressemblait un billet de banque, elle qui ne réglait aucune note, aucune facture, aucune addition, et qui laissait son assistante se charger des pourboires ? Mia parcourait le monde sans un sou en poche et se contentait de désigner ce dont elle avait besoin pour qu'on le lui serve sur-le-champ. Ses gains faramineux s'entassaient sans jamais que la colonne débit ne connaisse la moindre variation. Comment une jeune femme estimait-elle si précisément la valeur de ses apparitions sans connaître celle de l'argent ? Philippe, plume acérée et reconnue, se débattait sans cesse avec l'épineuse question des honoraires et des droits d'auteur, et acceptait le tarif de base sans oser négocier. Le plus souvent, on attendait qu'il réclame pour le régler, et parfois on s'étonnait qu'il le fasse.

— Si c'est cocktail ET dîner, c'est 25 000 de plus, non négociable.

Sur le chemin du retour, il se livra à un cruel calcul : afin de gagner l'équivalent de ce qu'on payait sa fiancée pour montrer son joli minois lors d'une quelconque cérémonie d'ouverture, Philippe aurait dû écrire cinq cents pages d'une *Métaphysique de l'impensé* qui lui auraient pris plusieurs années de sa vie.

À peine rentrée, Mia se plongea avec délice dans le *New Yorker* arrivé le matin même. Philippe s'étonna de son soudain intérêt pour un journal dont il connaissait la rigueur intellectuelle, et non pour un de ces torchons où elle risquait de tomber sur un article infamant qui aurait appelé un procès immédiat. Peut-être était-il un peu trop sévère à toujours vouloir la ranger dans le tiroir du bas sans lui laisser une chance de le surprendre. Peut-être avait-elle remis en question des choix qu'elle-même jugeait frivoles. Depuis cette fameuse photo sur la terrasse du Crillon où elle paraissait à son bras, l'image de Mia auprès des médias et de son entourage avait changé. Pas une interview, pas une conversation mondaine où il n'était question de sa liaison avec un penseur-écrivain-philosophe. Désormais on l'interrogeait plus souvent sur ses lectures que sur ses mensurations, on l'invitait à des événements culturels, on lui proposait de défiler pour des couturiers qualifiés de postmodernes. Comble de la reconnaissance, elle avait suscité la jalousie de certaines de ses consœurs flanquées de l'éternel sportif ou rock star. À la voir à ce point concentrée sur une page de journal sans la moindre illustration, tout portait à croire que son nouveau statut de *belle fille qui en a aussi dans la tête* était le signe d'une prise de conscience véritable et non d'une opération de marketing parfaitement réussie.

— À ton avis, Philippe, si l'homme était un handicap, quel serait-il ? La surdité, la cécité, ou le mutisme ?

— … ?

— J'hésite entre surdité et mutisme.

— Tu lis quoi au juste ?

— Le *New Yorker*. Mon abonnement me suit partout où je vais. Je ne comprends rien aux articles mais il y a le test de Matthew Sharp.

— Le quoi ?

— Ce mec est un génie. Il conçoit des tests à l'aveugle. Tu ne sais jamais pour quoi tu es testé, ce qui t'empêche d'orienter tes réponses.

— … ?

— Spontanément vous associez « falaise » à : a) vertige, b) rappel, c) meurtre ? Tu es obligé d'attendre la semaine suivante pour connaître les résultats du test et ce pour quoi tu étais testé. Ça peut être « Êtes-vous un nouveau réactionnaire ? » ou même « Client ou prostitué ? ».

— … ?

— Ne me dis pas que Philippe Saint-Jean n'a jamais entendu parler des tests de Matthew Sharp !

— Si.

— Alors essaie : si l'homme était un handicap ?

— Comment réagir à une si terrible question ? *(Tu m'as fait peur, chérie, un instant j'ai cru que tu t'intéressais à autre chose qu'à un régime à base d'agrumes.)*

231

— Tu ne veux pas répondre parce que : a) tu es un homme, b) tu trouves la question dérisoire, c) tu n'en as aucune idée.

— La question en soi oblige celui qui y répond à patauger dans les généralités. Ajouté à cela que je ne crois pas aux caractères spécifiques d'un sexe ou d'un autre, on y trouve un fatras de clichés qui servent à alimenter la misogynie ordinaire et à entretenir la grogne des couples. Mais s'il fallait jouer le jeu, je dirais que l'homme est avant tout taxé de mutisme, parce que l'homme ne sait pas, ou ne veut pas exprimer ses sentiments. Soit par refoulement, soit par peur de paraître moins viril. Mais il est aussi de notoriété publique que les hommes sont sourds aux doléances des femmes. Soit parce qu'ils sont trop préoccupés d'eux-mêmes, soit pour se dérober à leurs responsabilités. On rejoint alors un autre lieu commun : Dieu que les hommes sont lâches. Mais n'oublions pas pour autant la cécité. Les hommes ne voient rien, c'est bien connu. Une femme, elle, va repérer immédiatement la trace d'une autre femme sur son mari. Un homme jamais. Une femme sait au premier regard si untel est amoureux ou dépressif, si unetelle est enceinte ou jalouse, un homme non. « Tu ne vois jamais rien... » lui rappelle-t-on souvent. En résumé, si l'homme était un handicap, il serait les trois à la fois. Heureusement, les femmes sont là pour créer un équilibre. La femme est à l'écoute de l'autre, parfois jusqu'à la complaisance. La femme observe, parfois jusqu'à l'indiscrétion. La femme formule, parfois jusqu'à la jacasserie. Est-ce que tu as ton compte d'idées reçues ou tu en veux d'autres ?

*

Déçu par la trahison de Maud, Yves Lehaleur s'en voulait d'avoir cru à leur intimité, comme il lui en voulait de lui avoir fait douter des autres filles. Mais sans doute était-il naïf d'imaginer que la confiance était comprise dans le prix de la passe, ou même vaniteux de prétendre avoir tissé un lien privilégié avec chacune d'elles. Tourmenté par une nuit d'insomnie comme il n'en subissait plus depuis sa rupture avec Pauline, il tenta une dernière fois de se rendormir à 5 h 05. Quand la sonnette de la porte retentit.

À travers le judas, il eut un mouvement de recul en découvrant une vision de cauchemar. Dans la pénombre du palier, il devina un masque de peau tuméfiée, des cheveux hirsutes, des yeux rougis, un corps agité de tremblements.

— … Agnieszka ?

Pour toute réponse, elle se précipita dans ses bras, laissa éclater ses pleurs. Il la soutint jusqu'au canapé où elle s'écroula, la main sur les reins pour atténuer une douleur. Le bas déchiré de sa jambe droite laissait apparaître des contusions bleuies, la ceinture de sa jupe avait été arrachée, et sur son gilet de cachemire tombaient des gouttes de sang qui lui perlaient du nez.

— … J'appelle une ambulance.

— Co ?

— Hospital…

— No ! No hospital ! No doctor ! Przyżeknij mi, że nie sprowadzisz lekarza ! Oni robią zeznania na policji !

— Tu ne peux pas rester comme ça.

— Boli mnie ! Masz jakieś środki przeciwbólowe ? Pain killers ?

— Des antidouleurs ?

— Byle co, co tam masz…daj nawet wódkę jak nie masz nic innego…

Yves crut percevoir le mot vodka sans en être sûr, puis trouva dans sa boîte à pharmacie une poignée de gélules qu'elle avala en bloc. Du bout des doigts, il effleura ses plaies au visage, dans le dos, sur les cuisses. D'autres allaient sans doute apparaître.

— Il faut passer des radios.

— Próbował mnie zgwałcić i jako, że nie dawał rady, to pobił mnie po twarzy.

Yves saisit son téléphone et composa le numéro d'un médecin de garde mais Agnieszka trouva la force de lui ôter l'appareil des mains : *Nie lekarza, mówię ci, nikogo ! Będzie dobrze, odpocznę trochę a jutro zmywam się.* Sachant qu'il n'aurait pas gain de cause, Yves tenta d'administrer lui-même les premiers soins, et ce fut lui qui, avant de s'improviser infirmier, eut besoin d'une grande rasade de vodka. Tout en passant du désinfectant sur ses plaies, il l'écouta raconter à mi-voix son agression comme pour en débarrasser sa mémoire. *Facet o dobrych manierach, starannie ubrany…Wyjął z walizeczki jakieś przybory…* Faute de comprendre,

234

Yves dut se représenter une scène tout droit sortie d'un tiroir secret de son inconscient, où traînait quelque perversité qui tenait essentiellement d'une fantasmatique collective. Il imagina un monstre de sadisme se vengeant de ses échecs sur la belle pute blonde. Asservir un corps par l'argent ne lui avait pas suffi, il lui avait fallu le faire plier à coups de pied. *Nie przyjęłam pieniędzy na robienie jego świństw...* L'insulter, la maltraiter ne l'avait pas calmé, il avait voulu épaissir à coups de poing la finesse de ses traits, abolir à jamais son sourire, casser sa silhouette de rêve, inscrire la peur en elle. *Ugryzłam go w rękę aż do krwi.* Il avait voulu se venger de toutes les femmes à la fois depuis la toute première.

D'un regard, elle mendia une place dans son lit. Yves l'enlaça et la veilla, une main sur son front, jusqu'à ce qu'elle s'endorme. Le visage meurtri d'Agnieszka, c'était le vrai visage de la prostitution, celui qu'il préférait ne pas regarder en face chaque fois qu'il recevait une femme qui se vend : du fard sur des plaies. Il avait vainement tenté de fermer sa porte à ce sordide-là, mais il restait tapi dans l'ombre, bien décidé à s'introduire, comme cette nuit. Dès le lever du jour, Agnieszka se relèverait de cette épreuve, prête à reprendre du service comme un bon petit soldat. Yves s'étonna à nouveau de la capacité d'endurance de ces filles, de leur aptitude à surmonter le réel le plus barbare.

D'ici là, il ne tenait plus dans ses bras la troublante Agnieszka mais une petite fille abusée et perdue, et sans doute cette image-là l'empêcherait désormais de la revoir.

*

Avant elle, Denis avait-il jamais aimé ?

Le simple fait d'avoir à puiser dans ses souvenirs lui donnait une réponse.

Tout gosse, il avait découvert un curieux sentiment à l'approche d'une petite chose à couettes que la veille encore il martyrisait. L'ennemi de toujours avait triomphé, et avait fait du vaincu son chevalier servant. C'était ça, l'amour.

Non, ça n'était pas ça, puisque l'amour, c'était Béatrice Rosati, 4e B. Ce sera elle et pas une autre. La preuve ? On lui tient la main en public, on veut que le monde sache. Le week-end durant, la vie les sépare. Le dimanche après-midi est une torture, le lundi matin une délivrance. C'était ça, l'amour.

En fait, il allait tomber amoureux pour de bon dans le lit de cette belle inconnue au prénom oublié, dans le camping de Royan, l'été du bac français. Le biblique et le fusionnel en une seule nuit, c'était ça l'amour.

Et puis non, l'amour allait arriver quelques années plus tard en s'installant avec Véro. Ikea, compte commun, mariage évoqué. Partage et avenir, c'était ça l'amour.

Trois ans plus tard, à nouveau libre, Denis avait décidé de préférer les femmes à l'amour. Si celui-ci existait bel et bien, s'il était aussi puissant qu'on le prétendait, à lui de s'imposer.

À quarante ans passés, il s'imposait enfin, si violemment et si tardivement que Denis sombrait maintenant dans les excès de l'homme pris de passion. Décréter le sublime en tout, se pâmer pour des riens, célébrer l'autre sans relâche. Et, malgré la volonté de Marie-Jeanne de se ranger parmi les prosaïques humains, ne voir en elle que la fée, l'ange, la déesse. Quand parfois il avait assez de recul pour admettre la part de divin dans toute histoire d'amour, la sienne restait exceptionnelle et il en avait la preuve : une inconnue avait frappé à sa porte pour le sauver de sa disgrâce. Qui pouvait en dire autant ?

— Denis, j'ai quelque chose à vous dire.

— Vous pouvez tout me dire.

— Je vais partir bientôt.

*

L'orage grondait depuis plusieurs jours et ce soir Philippe ne l'empêcherait pas d'éclater. En matière de scène de ménage, il admettait avoir tout à apprendre, son ancienne compagne l'ayant sur ce point toujours épargné. Juliette avait le don de ne pas tomber dans les pièges de l'humeur, de ne pas remettre en question l'essentiel à cause d'un faux pas ou d'une parole malheureuse, elle ne cherchait pas à exister à tout prix et en toute situation. Elle admettait être faillible et préférait apprendre quelque chose plutôt que de se contenter d'avoir raison. Philippe traduisait tant de vertus en un seul mot : Juliette était *adulte*. Pour lui il s'agissait de l'hommage suprême, il connaissait si peu de

237

vrais adultes, même parmi ses éminents confrères. La jeune Mia avait de jolies qualités de cœur mais combien de moulins à combattre ? Combien de révolutions à accomplir ? Philippe n'attendrait pas.

— Dis-moi la vérité. Est-ce que tu penses que je suis : a) superficielle, b) enfant gâtée, c) complètement conne ?

— Rien de tout ça. Disons que pour toi Dieu est glamour, et c'est ta seule religion.

— Tu vois en moi une *fashion victim* parce que tu penses m'apporter plus que ces types qui m'approchent pour ma seule beauté. Et je ne m'en rendrais pas compte parce que seule ma beauté me préoccupe ?

— Là, tu fais ce qu'on appelle de la rationalisation secondaire.

— *(Tu adores jouer les profs.)* C'est quoi ?

— C'est quand on reformule un événement, ou un état de fait, pour le rendre acceptable à ses propres yeux ou à ceux d'autrui. *(Tu es le monsieur Jourdain de la rationalisation secondaire, tu en fais à longueur de temps sans le savoir.)*

— En résumé : je suis une coquille vide, et ça m'interdit de dire ce que je pense.

— Tu as tout à fait le droit de dire ce que tu penses mais, de temps en temps, réfléchis un peu avant de penser.

À ce jeu-là, Mia ne pouvait que perdre. Il lui fallait maintenant faire mal, frapper fort, fût-ce un coup bas.

— Prétendre que je ne suis préoccupée que par le paraître, c'est un peu le comble de la part de monsieur Philippe Grosjean.

Un instant, il joua l'étonnement. Mais le joua mal.

— C'est bien comme ça que tu t'appelles, non ?

— …

— Ne te fatigue pas, je l'ai su au passage en douane quand tu m'as demandé de prendre ton passeport au fond du sac. Philippe Grosjean *dit* Philippe Saint-Jean, en toutes lettres.

— …

— Grosjean, ça ne faisait pas assez philosophe ? Grosjean fait moins vendre que Saint-Jean ? Ça fait moins fantasmer les petites étudiantes en sociologie qui font des thèses sur ton travail ?

Depuis ce jour où l'état civil lui avait permis de changer de nom, son secret avait tenu dix-sept ans. Grosjean *dit* Saint-Jean. Ses parents lui avaient donné leur absolution malgré une pointe d'amertume. Mais comment prendre au sérieux une thèse sur la mémoire collective signée Philippe Grosjean ? Depuis, il vivait meurtri par le remords d'avoir renié son propre nom, de s'être débarrassé d'une connotation « province » et de s'être donné un faux air d'aristocrate, comme honteux de sa basse extraction. Que n'aurait-il fait aujourd'hui pour réparer cette erreur de jeunesse ?

Incapable de se justifier, il quitta la chambre sans un regard vers Mia et se réfugia sous ce mystérieux auvent dont il venait peut-être de trouver l'usage : un espace destiné à ce qu'on lui foute la paix.

En général, Philippe savait refouler les réminiscences de ses vies antérieures, mais ce soir, provoqué par une écervelée qui lui reprochait de s'être trahi lui-même, lui revinrent en mémoire les questionnements du petit Grosjean qu'il avait été dans une école communale de banlieue. Rien alors ne le distinguait d'un autre, sinon la sourde intuition que toute sa vie durant il lui serait aussi pénible d'obéir aux ordres que d'en donner. Et que déjà ses constructions spirituelles créaient un bien meilleur refuge qu'une cabane dans les arbres.

Au commencement était madame Lagirarde. Cette brave madame Lagirarde qui imposait des analyses trop calées pour des CE2. Elle n'aimait rien tant que poser des questions auxquelles des enfants de huit ans étaient bien incapables de répondre, comme pour se consoler d'en avoir quarante. *L'un d'entre vous pourrait-il me dire pourquoi l'enfant du poème écoute la pluie du fond d'une cave ?* Les réponses fusent, toutes plus anodines les unes que les autres. Le petit Grosjean cogite comme un diable : *pluie + cave = ... ?* Il y a sûrement une explication qui justifie un poème entier, sinon à quoi bon tant de langueur, de froid, d'angoisse. *Pluie + cave = guerre !* Le regard stupéfait et presque vexé de madame Lagirarde vaut bien plus qu'une bonne note.

Dans ces années-là, on jouait encore aux cowboys et aux indiens dans la cour de récré. Mais le petit Grosjean ne se donne pas le choix : il sera indien, quitte à mourir sous les balles d'un visage pâle.

Et puis, il y avait eu la poitrine naissante de Nathalie Brisefert. Aperçue par hasard en poussant la mauvaise porte pendant une visite médicale. Grande avait été la tentation de s'en vanter auprès des copains mais, après une nuit de réflexion, le petit Grosjean avait préféré se lier par le secret à Nathalie. *Ce qu'on dit appartient aux autres. Ce qu'on tait est un bien éternel.*

Et comment oublier la honte de ne pas savoir monter à la corde raide ? Suspendu à mi-parcours, pétrifié, les bras vidés, la vessie gonflée. Il n'en fallait pas plus pour se faire exclure du gang des battants et se voir rangé dans le clan des faibles. Dès lors, comment ne pas penser qu'un jour on atteindra des sommets, pour laisser à ras du sol ceux qui se croyaient si forts.

Encore plus marginal que le petit Grosjean : Michel Guilain, dit le Fou. Sa leucémie l'oblige à des absences répétées. *Il faut un volontaire pour lui porter les devoirs. J'en désigne un au hasard ?* Un plus grand malheur que la maladie a frappé le Fou : il n'a pas la télé ! Le Fou s'en fiche : il possède les seize volumes de l'encyclopédie *Tout l'Univers*. Le petit Grosjean en perd tous ses repères : le Fou est-il vraiment fou ?

Et puis, il y a eu le fameux jour de la syncope de madame Dourçat, CM2. On voit sa culotte. La classe n'est pas mixte, aucun garçon ne veut chercher les secours pour prolonger le spectacle. Le petit Grosjean rabat la jupe sur les cuisses et alerte une femme de service. *J'ai frôlé les collants de madame Dourçat et je lui ai sauvé la vie. Je suis un homme.*

Le mercredi soir, monsieur et madame Grosjean regardent *La Piste aux Étoiles* à la télé. Le petit Philippe déteste le cirque : les clowns cherchent à forcer son rire, les trapézistes qui montent si bien à la corde l'indiffèrent, et le spectacle des éléphants en jupettes l'indigne. Il en profite pour lire le journal, auquel il ne comprend pas grand-chose, sinon qu'il lui tarde de grandir.

Et un beau matin, la révélation : tout le monde meurt un jour. *Enfin une explication logique au fait que l'homme a créé Dieu à son image.*

Pris de nostalgie, Philippe se demanda s'il était devenu Saint-Jean grâce à une seule de ces minuscules révélations, ou si, quoi qu'il arrive, il aurait suivi son inclination naturelle à démonter la mécanique de l'esprit pour la remonter au gré de ses humeurs.

*

Pour effacer la minable trahison de Maud, pour oublier la détresse d'Agnieszka, Yves rechercha l'ardeur de Céline. Elle manifesta au téléphone la même impatience que son client, ce qu'il prit comme la promesse d'une nuit sans fin. Tout le jour durant, Yves inventoria les petits bonheurs du corps de Céline, de sa fantaisie, de sa fureur aussi, la plus intense qu'il ait jamais connue. Il anticipait déjà les jeux auxquels ils joueraient, innocemment pervers mais d'une rudesse bien réelle. Si avec Maud il assouvissait son fantasme de classe, avec Céline il en vivait un autre où s'imposait son désir de domination. De femelle en rut, Céline endossait le rôle de la dévergondée qui a besoin d'être corrigée, puis elle virait au scénario ancillaire en se révélant soubrette coquine et très attentive aux lubies de son patron. Ce soir, il serait le satyre et elle la captive.

En lui ouvrant sa porte, Yves perçut dans son regard une ombre de gravité qu'il ne lui connaissait pas. Habillée d'une jupe triste et d'un blouson râpé, elle s'assit sur le bras d'un fauteuil et refusa le verre qu'Yves lui proposait.

— J'ai un retard.

— … ?

— De règles.

— J'avais compris, mais en quoi ça me regarde ?

— …

— Nous n'avons eu que des rapports protégés.

— Sauf un.

— … ?

— C'était le 1er mai. Rappelle-toi, tu avais dit : *Tu bosses pendant la fête du travail ?*

— Aucun souvenir.

— Tu devrais, pourtant, c'était le soir des *pussy shots*.

Comment oublier cette beuverie ? Avec le verre adéquat et quelques contorsions, il avait mis au point une façon très particulière de siffler des vodkas entre les cuisses de Céline.

— Tu étais tellement soûl que tu as mis cette capote n'importe comment, elle m'a glissé entre les jambes au réveil.

Vidé tout à coup de ses forces, Yves tenta de se raccrocher à quelques images floues — lui, à genoux devant le sexe ouvert de Céline qui ruisselle d'alcool, puis eux deux se cognant dans les meubles pour parvenir jusqu'au lit, et puis, plus rien, le noir complet.

— C'est jamais qu'un retard, dit-elle en le voyant si abattu.

— Tu as fait un test ?

— J'attendais de t'en parler avant d'aller dans une pharmacie.

— Ce n'est pas de ce test-là que je parle.

Bien plus rapide que tout autre sentiment, toute logique, toute prudence : la peur. Les abîmes qu'elle jette sous les pas de l'homme épouvanté. Tout à coup, Céline n'était plus cette sulfureuse partenaire qui lui fouettait les sens. Elle n'avait pas même eu le temps de redevenir une femme comme une autre qui attend peut-être un heureux événement. Elle n'était plus rien qu'une pute sur qui étaient passés tant d'hommes après avoir fourré leur queue n'importe où. La maîtresse empoisonnée. Le haut risque en personne. Mais à quoi bon chercher une coupable quand depuis des mois il avait joué avec le feu que ces femmes allumaient en lui. À combien de centaines de morts avait-il échappé ? La sanction ne devait-elle pas tomber une nuit ou une autre, presque annoncée, inéluctable ? Yves quitta brusquement le temps présent pour celui des cauchemars. Son salon : un mouroir. La voix de Céline : un râle aigre. Son verre de whisky : un goût de fiel. Avant que le sol ne s'effondre, il tenta en vain de se raccrocher à quelque espoir scientifique. *Tu n'es peut-être pas contaminé. On n'en meurt plus. Combien de semaines depuis le 1er mai ?*

Comme la vie était lumineuse deux minutes plus tôt.

— Je ne t'ai pas refilé de maladie, si c'est ce que tu crains. Je fais des contrôles réguliers, le dernier date d'il y a dix jours et nous ne nous sommes pas vus depuis.

Il ne put s'empêcher de sourire bêtement, rassuré par la soudaine indignation de Céline. Le soulagement qu'il éprouva lui fit relativiser ses petits malheurs ordinaires. Comment pouvait-il oublier si souvent qu'il était heureux, privilégié, et encore jeune. L'avenir pouvait recommencer.

— Je sais que c'est absurde mais je ne veux pas être seule quand je vais lire le résultat du test de grossesse.

De quoi parlait-elle, déjà ? Ah oui, de la vie. Yves venait de voir la mort en face et on lui parlait d'une hypothétique vie à venir. Et sur un ton si dérisoire, si solennel ! Tant de théâtralité contenue dans ce pathétique : *J'ai un retard*. Yves se retint de lui répondre : *Ce sont les risques du métier*, et se contenta de :

— Tu ne prends pas la pilule ?

— 100 % de mes rapports se font avec préservatif. Le risque était infime.

— Qu'est-ce que tu comptes faire ?

— D'abord ce test, et puis…

— Et puis quoi ?

— Et puis je verrai.

— Tu verras quoi, bordel, sois claire.

— C'est peut-être l'occasion que j'attends depuis longtemps.

— Tu es en train de dire que tu n'irais pas forcément avorter ?

— Ce gosse est peut-être une réponse.

— Une réponse à quoi, nom de Dieu !

Yves eut droit à une tirade aux enchaînements alambiqués et contradictoires. Sans jamais évoquer le désir d'enfant, Céline se demandait si elle n'allait pas saisir cette occasion de *cesser de faire la pute*, de *changer de vie*. La perspective de mettre au monde et d'élever un petit être n'entrait pas en ligne de compte, seule sa propre révolution importait, ses nouveaux projets. Avant l'accouchement, elle avait le temps de franchir ce pas qu'elle redoutait hier encore, créer son atelier de céramique avec une associée, retrouver d'anciens contacts, manier la terre à nouveau, inventer de nouvelles formes, proposer sa gamme, sa ligne. À la fin de son laïus exalté, il n'était plus question de test ou de grossesse à assumer, mais d'un design à imposer au monde. Yves comprit combien ce retard était un prétexte, combien Céline souffrait de s'être trompée à ce point de carrière — quelle idée aussi de vendre son corps quand on veut fabriquer des tasses à thé — mais était-ce une raison pour l'embarquer, lui, tout juste rescapé d'une mort certaine, dans un destin qui n'était pas le sien ?

— Dis-moi seulement jusqu'où tu veux m'impliquer au cas où tu persisterais à vouloir le garder.

— Si j'avais été enceinte des œuvres d'un autre, je m'en serais sans doute débarrassée. Toi, tu es le seul de mes clients que je respecte, parce que tu es le seul qui m'écoute et m'encourage. Ce n'est pas un hasard si l'on s'entend si bien au lit. Je veux pouvoir dire à mon gosse que son père est un type bien. Je ne te demande pas de le reconnaître ou de t'en occuper. Je veux que tu saches que si cet enfant existe, chaque fois qu'il prononcera le mot « papa », c'est de toi qu'il sera question. Si cet enfant existe tu sauras que quelqu'un quelque part porte tes gènes. Qu'il te réclame sans doute. Qu'il t'attend.

*

— Qu'est-ce que vous entendez par *partir* ?

— Débarrasser le plancher. N'était-ce pas ce que vous souhaitiez le plus au monde ?

— Pourquoi partir maintenant que…

Denis hésita, de peur de se livrer tout entier en une seule phrase. D'ouvrir trop grand, trop vite, une porte encore entrebâillée. Mais à vouloir éviter à tout prix la déclaration, il céda à leur ironie rodée par plusieurs semaines de querelleuse proximité.

— Maintenant que vous avez quitté le canapé pour mon lit.

— J'ai d'autres ambitions dans la vie, Denis Benitez.

— Qu'est-ce qui vous empêche d'être ambitieuse à mes côtés ? Je suis serveur ! Pas le genre de gars qui a peur que sa femme lui fasse de l'ombre.

— Vous auriez le cœur de me priver de toutes ces aventures qui m'attendent de par le monde ?

— Et la vie à deux, c'est pas une aventure ?

À son tour elle hésita, lui renvoya le regard de celle qui préfère taire une longue confession, douloureuse à coup sûr mais riche en sagesse et en enseignements. Pour ne pas rester sur un instant de gêne, elle embrassa la joue de Denis avec une infinie tendresse. À cet instant-là, il comprit que Marie-Jeanne Pereyres allait quitter sa vie comme elle y était entrée, sans un mot d'explication, et quand elle l'aurait décidé.

*

Au cœur de la nuit, Mia se réveilla d'un trop court sommeil. Elle chercha Philippe dans le lit, puis dans le reste de la villa, et finit par le débusquer sous cet auvent qu'il ne quittait plus. La veille, il avait décrété que cet espace sans justification réelle serait pour lui une sorte de cabinet de réflexion, un moyen de s'extraire du bloc spatio-temporel pour retrouver enfin son intimité mentale. Il s'y était installé avec son calepin, son broc d'eau, et s'était réinventé en Diogène moderne. De ce périmètre, Mia était exclue. Philippe aimait lui signifier que toute l'île pouvait bien lui appartenir, ces quatre mètres carrés-là lui resteraient inaccessibles.

Elle le trouva endormi, le réveilla d'un baiser, le ramena vers le lit, soucieuse d'effacer leurs rancœurs, d'accorder une dernière chance à leur idylle moribonde. La méthode avait fait ses preuves. Mais leur besoin de s'étreindre pour effacer leur amertume s'estompa vite au profit d'une triste routine. Philippe s'attardait sur des préliminaires qui lui donnaient le temps des retrouvailles mais qui mettaient Mia mal à l'aise par leur tendresse excessive. Elle savait alors se cambrer dans une obscène posture qui interdisait à Philippe de lui résister, et qui offrait au regard toute son intimité en une seule courbe. À son tour, il brandissait son sexe vers le visage de Mia qui le happait pour le raidir plus encore. Puis il la pénétrait, allait et venait en elle, régulier, sans modulation, privant Mia de divins ralentissements et de fermes accélérations. Elle finissait par bousculer le rythme en opérant une volte-face qui laissait à Philippe moins d'amplitude. Elle le chevauchait avec une fougue qu'il ne partageait pas mais qui avait pour seul avantage de freiner son excitation. À ce moment précis lui revenait en mémoire la façon dont Juliette, dans cette même position, ramenait ses genoux contre sa poitrine, formant un bloc de chair qui reposait entièrement sur le sexe dressé de son amant — Philippe en éprouvait l'irrésistible sensation d'être le pivot d'un autre corps. Mia préférait s'exprimer par la parole mais, étrangement, en anglais, ce qui donnait à Philippe la pénible impression d'être remplacé à son tour par un partenaire imaginaire — un bassiste irlandais, un acteur américain ou pire. Tôt ou tard il éjaculait et, comme chaque fois, le mot « réducteur » lui traversait l'esprit comme un réflexe pavlovien. Et ce depuis ce fameux soir où Mia, s'étonnant que Philippe ait éjaculé en elle, et non sur elle, lui avait dit :

— Ronnie, mon ex, se retirait toujours avant et m'aspergeait le ventre.

— … ?

— Il disait qu'éjaculer dans la fille était *réducteur*. C'était son terme.

— Réducteur ?

— Il n'était pas le seul. Corrado, celui d'avant Ronnie, ne s'en privait pas non plus. Mais toi, sur la question, tu es un peu *old school*.

— Vous avez tous appris à baiser devant le porno du samedi soir ?

Philippe concevait fort bien ce qu'avait de *réducteur* le message philosophique d'un Schopenhauer ou d'un Heidegger, mais que diable entendait un bassiste de pop anglaise par ce même mot, appliqué à ses orgasmes ? D'autres surprises avaient attendu Philippe au fil des mois, qui avaient remis en question tant de certitudes sur ses pratiques sexuelles, faisant de lui tantôt un moraliste, tantôt un ringard. Le jour où Mia lui avait déclaré n'avoir aucune objection à la sodomie, il en avait été presque déçu. Ce qu'il prenait comme le don d'une suprême intimité n'était pour Mia qu'une heureuse variante au banal coït.

Au lieu de les rapprocher, ce retour à l'alcôve les éloigna un peu plus. Cette nuit, ils ne dormiraient pas plus que les précédentes.

— Je pensais avoir assez d'ouverture d'esprit pour respecter tes valeurs, mais je n'y parviens pas.

Tu es jeune, tu es belle, tu mènes une existence de rêve, mais tu représentes cette certaine idée de la décadence que j'essaie de formuler dans mon travail. Je ne peux plus me contredire à ce point. J'ai pensé pouvoir faire abstraction de ton mode de vie, de tes relations, j'ai pensé pouvoir être patient et t'aider à éviter quelques pièges mais je n'en ai plus le courage. Je me souviens de cet après-midi où nous traversions le jardin du Luxembourg, tu tremblais de froid, tu ne portais presque rien. Il s'est mis à pleuvoir, j'ai mis mon manteau sur tes épaules dans un élan certes un peu romantique, mais l'instant s'y prêtait divinement. Avec une moue qui t'a déformé le visage, tu m'as repoussé en t'exclamant : *Tu ne crois quand même pas que je vais porter ta pelure ?* Je ne me doutais pas à quel point le regard des autres était central dans ton existence. Tu vis de ça, tu vis par ça, tu vis pour ça, et tu meurs sans.

L'heure n'étant plus à l'affrontement mais au constat froid, Mia le laissa terminer sans s'indigner, sans même se sentir blessée. Débarrassée de cette tension qui couvait depuis plusieurs jours, elle attendit de pouvoir conclure à son tour.

— Tu ne vis pas plus que moi parmi tes contemporains, tu n'as aucune idée de qui est cet *homme de la rue* auquel tu te réfères si souvent. Tu plies la réalité de façon à l'adapter à ton discours et non l'inverse, c'est ta manière à toi de faire de la rationalisation secondaire. Tu es amoureux de tes raisonnements, et ce que tu appelles le réel n'a aucune espèce de réalité. Un peu psychologue, un peu philosophe, un peu sociologue, à tous ces rôles-là, tu préfères celui de prophète, car ton rêve serait de nous prédire une catastrophe mondiale et de la voir arriver. Tu y passerais aussi, mais tu mourrais avec la satisfaction d'avoir anticipé ce qui était invisible pour nous autres.

Ils restèrent un long moment silencieux, soulagés d'avoir résumé en peu de mots ce qu'ils sentaient poindre au fil des jours.

— Seuls ceux qui s'aiment vraiment peuvent décréter quand ils le souhaitent la non-existence du monde extérieur, ajouta-t-il. Nous n'en sommes pas capables.

— Tu as raison, nous n'en sommes pas capables.

Deux planètes situées à des années-lumière s'étaient rencontrées et une logique astrale voulait que cet instant-là aboutît à une éclipse. Un jour prochain, l'une des deux aurait fait disparaître la lumière de l'autre.

Un nouveau silence, sans doute leur dernier, les laissa immobiles, les yeux perdus sous les ténèbres.

Mais sous ce silence grondait un tumulte naissant, lourd de forces telluriques, qui agitait faune et flore sans que les humains ne le détectent encore. Mia et Philippe crurent y entendre les derniers bruissements de leur idylle perdue. Tous deux se trompaient. La menace était bien réelle.

*

Yves avait insisté pour que Sylvie repousse un rendez-vous avec un autre client afin de passer l'après-midi avec lui. Il redouta quelque mauvaise surprise mais rien ne vint contredire ce délicieux rendez-vous, dont le rituel, rodé au fil des mois, avait atteint son juste aboutissement. Après avoir fait l'amour, Sylvie enveloppa ses hanches dans une étole de soie beige pour s'en servir comme d'un pagne, soulignant des rondeurs qui ondulaient sur son passage. Elle se promena dans l'appartement à la recherche de nouveautés puis retourna s'étendre, prit une pose digne d'un modèle de Maillol et tendit la main vers une assiette de poires charnues qu'elle dégusta en laissant perler leur jus au coin des lèvres. Le plus souvent, elle interrompait de longs silences pour prononcer une phrase surgie on ne sait d'où. *Quel dommage de ne plus trouver de passe-crassane après avril.* Ou : *J'aurais tellement aimé aimer lire.* Mais ce samedi-là, dans sa pose d'odalisque, Sylvie demanda :

— Je te plairais encore si j'étais mince ?

Yves la rejoignit pour lui pétrir le corps et la rassurer sur sa beauté. Puis il s'allongea contre elle, les yeux clos, calé contre ses formes, apaisé. Elle le tira de sa rêverie en empoignant son sexe pour le branler avec délicatesse, et lança une conversation pour évaluer combien de temps il serait capable de la suivre.

— Qu'est-ce que tu feras quand tu n'auras plus d'argent pour te payer des filles ?

— … Je ne sais pas. L'échéance se rapproche…

— Il ne te faudra pas longtemps pour te trouver une femme à toi.

— … Je… Je suis dev… devenu… exigeant…

— Quel petit mari tu ferais !

Sylvie ne se doutait pas que son client était passé très près de ce destin-là. Yves faillit articuler quelques mots sur sa vie antérieure, mais il était trop tard pour articuler quoi que ce soit.

— Tu la traiterais avec décence, tu la surprendrais sans cesse, et je suis même certaine que tu ne la tromperais pas.

— … Je… Je ne… Humm…

Elle arrêta son mouvement juste avant l'imminence, il arracha l'emballage d'un préservatif avec les dents et la pénétra d'urgence, ce qui la fit éclater de rire.

En fin d'après-midi, fraîche et rhabillée de pied en cap, elle quitta l'appartement en disant :

— Si un jour tu trouves ta chérie, essaie quand même de garder le contact. On ira dans des salons de thé.

Il retourna se plonger dans les draps pour prolonger un instant de langueur. Ce soir, il irait dîner dans la brasserie où Denis Benitez l'avait tant de fois invité. Entre les pleurs d'Agnieszka et les divagations de Céline, Yves avait manqué la séance du dernier jeudi, et l'idée saugrenue d'avoir raté un témoignage capital lui avait traversé l'esprit. Il se devait de respecter ce rendez-vous-là tant que durerait son voyage au pays des femmes publiques. Ce jour prochain que Sylvie venait d'évoquer, il redeviendrait un homme comme un autre, mais réconcilié avec lui-même, plus riche de tout ce qu'elles lui avaient apporté.

Le cuir sur les épaules, le casque en main, il quitta son appartement puis franchit la porte vitrée du hall sans remarquer une silhouette assise sur les trois marches de l'accès au parking.

Tout à coup, il se sentit empoigné par le col, tiré vers l'arrière et projeté à terre.

L'agresseur s'agenouilla de tout son poids sur son torse pour lui couper le souffle. Éructant menaces et insultes, il lui martela le visage jusqu'à voir le sang gicler des arcades.

Puis il se releva, cracha sur Yves, lui envoya un dernier coup de pied dans les côtes et, avant de quitter les lieux, lui interdit de revoir sa femme.

*

Ils couchaient dans le même lit, partageaient leur pitance, échangeaient de bonne foi. Et pourtant, rien n'aidait Denis à percer l'éternel mystère d'une intruse qui comptait bien le rester, ni celui de son imminent départ. De guerre lasse, il dut reprendre son épuisant travail de spéculation, teinté désormais d'une pointe d'effroi ; Marie-Jeanne n'était pas un ange tombé du ciel mais sans doute son exact contraire : un succube dévolu aux forces du mal.

Denis avait eu la tentation de croire en un Dieu magnanime qui récompense ses créatures après les avoir soumises à une épreuve. Si on lui avait envoyé une Marie-Jeanne Pereyres, c'était à n'en pas douter pour la lui retirer tôt ou tard.

Et seul le diable en personne était connu pour donner aux humains ce qui leur manque le plus, puis le leur confisquer afin de racheter leur âme à vil prix.

*

Assommé par des antalgiques puissants, Yves passa la soirée aux urgences. Alertée par son message, Sylvie vint l'y rejoindre, bouffie de honte et de tristesse.

— Un petit enfoiré s'est déchaîné sur moi et m'a interdit de te revoir.

— C'était une erreur.

— Je me suis fait casser la gueule par erreur ?

— Il t'a pris pour Grégoire.

— … Qui m'a pris pour qui ?

— Celui qui t'a frappé c'est mon julot. Mon sale con, mon crève-la-faim, mon âme damnée, ma douleur.

— …

— En fouillant dans mon agenda, il est tombé sur : *14 h Grégoire, chez lui.* Mais entre-temps tu m'as appelée et j'ai repoussé mon rendez-vous. Ce con m'a suivie jusque chez toi en pensant que c'était chez Grégoire.

Yves eut droit au récit détaillé d'une tragédie moderne qui lui parut, quoique chargée d'intensité, bien moins tangible que les douleurs dans les côtes qui lui interdisaient de respirer.

— Grégoire c'est mon client diététicien qui a honte d'être tombé fou amoureux de la seule femme qui ne le supplie pas de maigrir. De me savoir avec d'autres clients le rend dingue, mon Greg. Il me veut toute pour lui, mais jusqu'à présent il avait peur d'être la risée de tous.

Yves hésita à la laisser continuer ; il refusait de se trouver une place, même fortuite, entre un maquereau à la petite semaine et un type qui dévoyait une pratique médicale au profit d'un business mondain. Dans cette histoire, le seul crime d'Yves avait été d'acheter un assortiment de religieuses pour complaire à Sylvie.

— Et puis, dernièrement, Grégoire a pris une décision…

Celle de vivre au grand jour son amour pour elle, malgré la crainte d'apparaître au bras d'une contre-publicité vivante. Et quitte à devenir la proie des psychanalystes de salon.

— Un *coming out*, quoi. Afficher publiquement son penchant pour les rondeurs. *Je couche avec un Rubens et je vous emmerde.*

Perclus de douleur, Yves fournissait un certain effort pour s'apitoyer sur le drame intérieur de cet homme. Si le maquereau était une véritable ordure, il appartenait néanmoins à un prototype connu et, malgré un infini mépris, Yves pouvait aisément se faire une idée de sa misérable mécanique mentale. À l'inverse, ce Grégoire, qui redoutait tant de se lier à une femme, non parce qu'elle se prostituait, mais parce qu'elle était grosse, résumait à lui seul une époque décadente où les interdits et les tabous n'étaient plus dictés par la morale mais par les impératifs du profit et la hantise d'un ridicule médiatique.

— Mon mac a fini par l'apprendre. Lui qui est si lâche, il a voulu jouer au dur. Et c'est tombé sur toi.

Yves ferma un instant les yeux, le temps de se demander quel Dieu pervers s'acharnait sur lui. Il eut tout à coup besoin de hurler, se retint tout juste, puis sentit monter des larmes de fatigue. Vers une heure du matin, on le laissa repartir, des pansements au visage, un strap sur le thorax. Sylvie avait attendu le dernier moment pour le supplier de ne pas porter plainte.

— L'idée de se faire interpeller le terrorise. Il traîne une petite peine avec sursis. S'il va au placard, il va déguster encore plus qu'un autre, il aura pas les nerfs. Qu'est-ce qu'il deviendrait sans moi ? Il est trop con. Je ferai ce que tu voudras, je viendrai dès que tu le demandes. J'obéirai.

Yves se fit raccompagner en taxi, puis, une main sur les côtes, traversa à pas douloureux le hall de son immeuble comme le petit vieux qu'il deviendrait un jour. Il se coucha sans trouver le sommeil, empêché par les douleurs qui ne demandaient qu'à se raviver, et par le souvenir de son agression qui le hanterait plusieurs jours durant. Pour s'en échapper, il rêva à cet autre Lehaleur qu'il aurait pu devenir si jadis sa promise ne l'avait pas trompé. Pour la toute première fois, il se demanda s'il n'aurait pas mieux fait de suivre ce chemin tout tracé. Où en serait-il, aujourd'hui, de son bel avenir ?

Sans doute dans cette maison de banlieue, prenant le frais en cette nuit d'été.

Le bébé, à l'étage, dormirait à poings fermés, et avec Pauline ils goûteraient enfin au calme retrouvé après ce samedi de courses, de ménage et de langes.

Ils se permettraient un petit digestif et évoqueraient leurs prochaines vacances.

Puis ils iraient se coucher et se caresseraient peut-être.

Au réveil, ce serait dimanche.

De retour dans son lit après s'être projeté dans un futur qui jamais ne serait le sien, sa douleur physique prenait un tout autre sens. Elle lui en rappelait une autre, purement morale, mais tout aussi violente et injuste, infligée par Pauline. Et cette douleur-là n'avait pas été surmontée en vain, elle l'avait rendu plus fort et placé sur la bonne route. Celle qui le lançait aujourd'hui mettrait bien moins longtemps à cicatriser, et déjà elle lui délivrait un message : chaque douleur qu'un corps ou une âme subissait était la fin d'un cycle et le début d'un autre.

*

Une fin de nuit, où déjà la touffeur se confondait avec la fièvre des mauvais rêves. Le grondement lointain semblait marquer la fin d'un sombre voyage dans les limbes ; il n'était que l'écho bien réel d'un cauchemar à venir. Les entrailles encombrées de la terre avaient ouvert une crevasse pour vomir un trop-plein dans l'océan. Philippe, réveillé par les râles rauques d'une nuée d'oiseaux, entrevit un ciel brouillé, sale, déserté par le soleil. Il s'agenouilla, porta les mains à ses tempes pour tenter de chasser des images hideuses, puis leva les yeux : une muraille grise qui obstruait l'horizon roula jusqu'à lui et s'écrasa sur la colline. En contrebas, la plage drainait un flot noir de tôle et de chanvre, de bambou et de plastique, bientôt recouvert par une autre vague démesurée. Mia grognait, les paupières scellées, refusant d'affronter la menace que son corps percevait déjà, et rejoignit Philippe qui assistait, halluciné, à la destruction de l'île. Une autre lame de fond, plus monstrueuse encore, plia les palmiers. Cédant à la panique, Mia dévala le sentier afin de rejoindre le rivage. Un instant pris de court par un réflexe aussi absurde, Philippe se lança à sa poursuite. Une vague rasa la toiture de l'hôtel et manqua d'entraîner Mia dans son ressac. Philippe lui attrapa le bras, la hissa de force avant que la vague suivante arrache les marches en tek et laisse derrière elle une pente informe, boueuse, parsemée de transats renversés. Arrivés au sommet, ils se blottirent un instant l'un contre l'autre. En bas, l'hôtel avait disparu et le déferlement semblait vouloir engloutir la terre entière. Mia refusa en bloc ce qu'elle vivait bel et bien : on n'abandonnait pas Mia, c'était inacceptable ! Où étaient passés *les gens* ? Et les secours ? Sentant Philippe incapable de la rassurer, elle le rejeta avec rage et se précipita vers son téléphone posé au coin du lit. Dépassé par ce nouvel accès d'absurdité, Philippe retourna sur la terrasse où une vague d'une violence inouïe se fracassa à ses pieds. Mia s'acharnait sur son mobile, cet objet-là répondait à tous ses désirs, toutes ses

260

inquiétudes, toutes ses questions ; il était son seul véritable lien avec le monde, avec sa famille, son agence, il lui procurait ses sensations les plus intimes et dissipait ses craintes secrètes. En le gardant à portée de main, il était aussi la garantie de son indépendance, de sa liberté : il n'allait pas la laisser tomber maintenant. Philippe l'entendit hurler à nouveau, d'impuissance cette fois, et lui arracha l'appareil des mains puis la gifla pour enrayer sa panique. *Nous sommes en sécurité ici !* cria-t-il pour couvrir le fracas d'un monstrueux ressac. Il la serra contre lui et, sans y croire vraiment, lui décrivit les phénomènes naturels qui se déchaînaient à leurs pieds, mais dont la violence n'avait d'égale que la brièveté. Dormir au sommet de la colline avait été leur infortune et désormais leur seule chance de survie. À l'aube, peu après la première secousse sismique, des vagues d'une force inhabituelle avaient inquiété clients et personnel de l'hôtel, qui tous avaient fui avant que la côte ne soit dévastée — deux ou trois minutes leur avaient suffi pour gagner la plage, contourner la colline et se réfugier dans les terres. À n'en pas douter, ils appelaient maintenant les secours pour tous les manquants à l'appel. Tentée par cet espoir-là, elle retint un instant ses larmes mais une vague plus haute que la colline, en s'écrasant, fit éclater la rambarde de la villa, ruinant du même coup les belles paroles d'espoir. En voyant les eaux atteindre leur lit, Philippe se tut pour de bon. Après tout, que savait-il des phénomènes et des catastrophes naturelles ? Il avait bien quelques images d'archives en tête, il se souvenait vaguement du témoignage d'un rescapé, il avait entendu, aux infos, des scientifiques fournir des explications sur les séismes, cataclysmes, typhons et cyclones, graphiques à l'appui, mais qu'avait-il retenu sinon le spectacle de la désolation absolue, du destin qui frappe, et de la planète Terre qui aime à parfois rappeler aux hommes sa toute-puissance.

Mia glissa à terre, se roula en boule, poussa de longues plaintes d'enfant meurtrie, refusant d'avoir été abandonnée. Elle était digne d'un autre traitement que le touriste de base et personne n'avait le droit de la livrer à elle-même : elle était Mia la divine, dont l'effigie était plus reproduite qu'une image pieuse. Reçue à la cour des princes, déifiée sur trois continents. Elle dont les caprices étaient des ordres et les reproches des peines de mort. Entourée, choyée comme un poupon, protégée à l'extrême. Elle qui se savait attendue où qu'elle aille, elle dont les heures valaient de l'or, elle qui prenait l'hélicoptère comme d'autres le bus. Cruelle ironie, tous ces hélicoptères affrétés pour aller faire du shopping, ou une apparition éclair dans une fête monégasque : aucun ne venait aujourd'hui lui sauver la vie.

Philippe subissait lui aussi la pire des ironies : pour quelle obscène raison devait-il mourir dans un endroit pareil ? Une semaine plus tôt, en découvrant la plage de Nusa Dua, il s'était amusé à énumérer les images d'Épinal de l'île déserte : les indispensables palmiers dressés sur le sable fin, la mer turquoise, et les amoureux échoués là pour l'éternité, loin de la civilisation. Ce cliché-là lui revenait à la figure avec la violence d'une déferlante ; leur villa était devenue à elle seule cette île déserte, et ils étaient, Mia et lui, ces naufragés oubliés du monde. Lui qui jamais ne quittait son coin de bureau de peur de perdre le fil de ses pensées allait périr noyé dans cette caricature d'Éden, et le monde entier, de par la célébrité de Mia, allait être au courant. Il n'avait pas prévu de tirer ainsi sa révérence, c'était une mort indigne d'un philosophe, une mort de nanti qui se pensait hors d'atteinte, bien ramolli dans son cocon de luxe, macérant dans sa piscine. L'annonce de sa disparition ferait les gros titres d'une presse criarde, malfaisante, et il resterait dans les mémoires pour avoir été l'homme qui avait péri au bras d'une célèbre mannequin. Une vie entière de recherches, de notes, de lectures, d'écriture, de cours pris et donnés, de concepts, de symposiums, et l'on ne retiendrait de lui qu'un fait divers mondain qui effacera le reste de son œuvre. Combien de fois, tout au long de sa vie de penseur, s'était-il demandé ce que l'humanité garderait de son œuvre ? Qu'ils fussent épuisés et jamais réimprimés, ses livres resteraient encore longtemps sur les rayonnages des bibliothèques, prêts à restituer la pensée de l'auteur. Mais ses ouvrages lui garantissaient-ils de rester dans l'histoire de la philosophie ? Que représentaient ces centaines de pages en comparaison d'un seul concept qui illuminerait d'un jour nouveau les questions essentielles sur la condition humaine ? Avait-il eu une seule vraie idée depuis qu'il faisait commerce des siennes ? Il lui manquait encore quelques années de recherches — quatre, cinq, moins de dix en tout cas — pour délivrer son message dans sa forme la plus limpide. Il n'en aurait pas demandé plus, il aurait même accepté qu'on lui désigne la sortie à condition de partir avec le sentiment du devoir accompli. S'il devait mourir ici et maintenant, quelle définition donnerait de lui le grand dictionnaire des penseurs universels ? *Philippe Grosjean (dit Saint-Jean), sociologue français, auteur d'un essai sur l'inconscient collectif,* La mémoire-miroir. Désormais il faudrait ajouter : *Disparu dans un raz de marée en Asie du Sud-Est.* Et cette idée-là lui semblait pire que la mort elle-même.

Le reflux ne perdait rien de son amplitude. Les vagues semblaient maintenant obscurcir le ciel. Mia, prostrée, le corps éteint, se mit à entrevoir l'impossible : un monde sans Mia.

En attendant l'onde extrême qui l'avalerait enfin, elle se demanda s'il fallait résister à la force du courant ou plutôt se laisser porter jusqu'à une rive épargnée par miracle.

Puis elle se demanda comment abréger la souffrance d'une noyade.

Philippe, lui, ne décolérait pas : il n'avait pas combattu à ce point l'absurdité des choses pour finir ainsi.

Plus forte que la peur, son indignation lui donnait le courage d'affronter les salves de l'océan. Il saisit Mia par l'épaule, la traîna jusqu'à l'armature en bois de cet auvent où il avait su s'isoler du monde, et la força à y grimper pour gagner deux à trois mètres de hauteur : le point culminant de la colline.

C'était dans cet ultime refuge que la mort viendrait les cueillir si elle le devait.

À cette seconde précise, le visage de la seule femme qu'il eût jamais aimée s'imposa comme la plus belle raison de ne pas disparaître à l'autre bout du monde.

9

En ce matin de septembre, une très fine brume voilait un regain d'été, et déjà la lumière annonçait le rythme frileux de l'hiver, ses courtes journées, son silence. La rentrée s'était déroulée en douceur, comme une longue série de petits renoncements que d'aucuns appelaient l'automne. Aux douces errances, le citadin préférait le plus court chemin ; il n'hésitait plus, ni sur l'itinéraire ni sur la petite laine, et s'étonnait de voir encore des touristes s'attarder aux carrefours pour s'émerveiller d'un rien.

Tôt le matin, Yves Lehaleur filait au maximum de la vitesse autorisée sur une autoroute déserte. Sensible à cette ambiance d'arrière-saison, il se sentait lui aussi dans un *après*. L'heure était venue d'en terminer avec cette étrange phase de sa vie qu'il avait traversée comme un long été, agité par l'imprévu des rencontres et la frénésie des nuits de veille. En moins d'un an, il avait vécu assez d'épisodes extravagants pour une vie entière, et bien plus qu'un poseur de vitres n'était amené à en vivre.

N'ayant plus les moyens ni l'envie de poursuivre ses expériences, il lui fallait maintenant les laisser prendre leur juste place dans sa mémoire. D'une mosaïque de ces moments où il s'était vu capable de tous les extrêmes, il allait faire une vaste fresque qui lui rappellerait à jamais, après avoir écouté tant d'hommes et reçu tant de femmes, combien il avait aimé la comédie humaine. Il avait décidé qu'une seule journée, planifiée à l'heure près, lui suffirait pour en finir avec les dernières convulsions de sa vie de débauche, avant d'inventer l'avenir du nouveau Lehaleur.

En sortant à Palaiseau, il trouva plus vite qu'il ne l'aurait cru le Pressing de la Gare, à l'enseigne orange qui avait survécu aux années 70. Il aperçut à travers la vitre teintée une dame à la soixantaine passée, vêtue d'un triste tablier, qui maniait une perche pour atteindre les portants les plus hauts. Il attendit que la boutique se vide pour demander à voir Annie — c'était le vrai prénom de la vilaine Maud, dont la seule adresse connue, si difficile à obtenir, était cette boutique en grande banlieue.

— Qui la demande ?

— Yves, je suis un ami.

Comment se présenter autrement à une mère, que sans doute Annie appelait encore maman ?

— Elle dort encore. Vous patientez un moment ? J'hésite à la réveiller, elle est rentrée tard.

Mme Lemercier appela son mari, un petit bonhomme penché sur une table à repasser, lui présenta *un ami de Nanou*, et le pria de garder un œil sur l'accueil pendant qu'elle préparait le café. Yves se retrouva coincé, une tasse à la main, entre une table en formica et des séchoirs à linge qui tournaient à plein ; à l'odeur chaude de la vapeur se mêla un arôme d'arabica.

— Je ne connais aucun ami d'Annie, elle qui en a tant.

Yves craignit un instant que cette dame tranquille et fatiguée ne désignât par ami ce qui n'en était surtout pas dans l'entourage de sa fille.

— Avec son métier, reprit-elle, comment faire le tri ?

Il craignit tout autant ce que recouvrait le mot *métier*. Elle se lança alors dans un long exposé sur les activités, passionnantes mais délicates, de sa belle Nanou. Activités dont elle ne comprenait pas toujours le fonctionnement ni le sens, mais qui précipitaient sa fille dans un maelström de responsabilités. Côtoyer tant d'individus, dans tant de milieux différents, retenir tous ces noms, noter leurs coordonnées, reconnaître le moindre visage. Pas étonnant qu'elle rentre si tard, épuisée. Malgré tout, elle était faite pour ça. Un don. Déjà toute petite. C'était elle qui organisait les soirées, les surprises-parties, les kermesses de fin d'année. Aujourd'hui, elle continuait sur sa lancée, mais au service des entreprises et des grands patrons qui soignaient leur image de marque. Après une enfance passée dans leur modeste boutique, on se demandait d'où elle tenait tant de classe et de savoir-vivre.

Les relations publiques ? Après tout, pourquoi pas. Au pied de la lettre, l'on pouvait résumer ainsi la carrière de Maud. Yves était curieux de connaître les étapes qui avaient poussé une Nanou, enfant vive et joyeuse, ne manquant de rien, née de parents dévoués, à se prostituer en créant Maud. À travers le peu qu'en avait dit sa mère, il imagina cette Nanou, prix de camaraderie, mondaine avant l'heure, obéissant à son agenda plutôt qu'à son cahier de textes, se sachant jolie, appréciée de tous, mais si honteuse de voir le linge sale des autres familles se laver dans la sienne.

— Je suis devenue une spécialiste du nettoyage de la robe de cocktail et du tailleur Chanel. Parfois j'aime me dire que si elle est toujours impeccable, c'est un peu grâce à moi.

Pour avoir froissé quantité de ces robes, Yves s'en voulait d'avoir fourni à la brave Mme Lemercier un surcroît de travail. À coup sûr elle devait assurer d'autres prestations ménagères, mais s'occuper de la petite restait malgré l'âge une douce contrainte. Du reste, Annie payait son écot à sa manière ; elle avait beau dépenser sans compter chez Hermès et Balenciaga — le métier l'exigeait — il lui en restait bien assez pour offrir des cadeaux à ses parents.

— Parfois, elle donne un coup de main à la boutique.

Vingt ans plus tard, Maud et Nanou partageaient le même toit. Après avoir alloué son sexe jusque tard dans la nuit, Maud rentrait au Pressing de la Gare de Palaiseau et s'y endormait, harassée par sa double vie. Nanou se réveillait tard, réparée des frasques de la veille, prête à réinventer sa soirée auprès de ses deux premiers admirateurs. Ils étaient friands de noms, de détails, et Nanou savait leur en donner. Leur fille chérie tutoyait des célébrités qui défilaient sur le petit écran, certains l'invitaient dans leurs palaces. Papa et maman se demandaient souvent pourquoi elle n'avait pas, au hasard des fastes parisiens, rencontré l'homme de sa vie — eux qui auraient tant aimé avoir des petits-enfants. Elle se comportait déjà comme une vieille fille qui semblait ne plus vouloir quitter le cocon.

Yves comprit alors que ni Nanou ni même Maud, malgré ses centaines d'amants, n'était jamais tombée amoureuse.

Mme Lemercier devina un frémissement inaudible pour quiconque. *Elle* allait apparaître. Yves vit Nanou descendre l'escalier, les traits encore bouffis de sommeil, les cernes bruns, un reste de rimmel sur un coin de paupière, le cheveu ébouriffé. Fagotée dans une chemise de nuit en pilou usée jusqu'à la transparence, les pieds dans des mules blanches ramenées d'un hôtel de luxe, elle ferma les yeux dans un dernier bâillement. Elle les rouvrit sur Yves Lehaleur et lâcha tout à coup la rampe d'escalier.

— Bonjour Annie.

— ...

Il aurait pu les planter là sans même ajouter un mot. Yves tenait sa vengeance en savourant la très grande vulnérabilité de Maud, honteuse d'avoir été surprise en Nanou, et de surcroît au saut du lit.

Avant cet instant, combien d'années de dissimulation, de vie à contre sens, de raccords de maquillage dans des taxis nocturnes, de bas à couture filés, de pharmacies de garde, de sordide surmonté ? Avec quel soin elle avait su préserver son noir secret aux yeux de ses parents, des autres commerçants du quartier, et de ses amies d'enfance qui vivaient encore alentour. Aujourd'hui, Yves la tenait à sa merci, au creux de sa main, il n'avait plus qu'à presser pour réduire à néant vingt années d'une insoupçonnable dépravation. Il prolongea tant qu'il put cette étincelle de terreur dans le regard de Maud, pute à plein temps et voleuse à ses heures.

Il l'avait cependant appelée Annie. Maud allait pouvoir négocier.

Yves l'embrassa sur les joues. *Je passais dans le coin.* La mère servit à sa fille un café dans un bol fêlé à liseré jaune qui remontait aux chocolats chauds de l'enfance. Maud chercha un sursis dans ces courtes gorgées amères et put simuler la joie de retrouver un ami. *Tu as bien fait.* Yves ne semblait pas vouloir briser la vie de quiconque mais sans doute allait-il demander à Maud de payer pour sa forfaiture. Et Maud paierait, quel qu'en fût le prix. Pour combler un silence, Mme Lemercier raconta sur la petite Nanou une de ces anecdotes qui submergent de nostalgie une mère, et de honte un enfant. Annie lui lança un regard qui semblait dire : *Ne te fatigue pas, maman, il n'est pas l'élu que je vous cache, il n'y a pas d'élu.*

Après avoir passé à la va-vite un jean, un pull et une paire d'espadrilles, Annie raccompagna Yves jusqu'à son scooter.

— Demande-moi ce que tu veux.

— J'ai eu ce que je voulais.

— M'humilier ?

— De toutes les superbes putains que j'ai fréquentées, tu es celle dont je voulais connaître l'envers.

— Tu es déçu ?

— Ah ça non. Je suis heureux d'avoir rencontré Nanou. Certes prosaïque, mais tellement plus crédible que Maud.

— On joue toutes un personnage.

— Et de toutes, tu es la plus mauvaise comédienne. Tu mens à tes parents, tu mens à tes clients, mais celle à qui tu mens le plus, c'est toi-même. Tu t'habilles en séductrice comme si tu avais rêvé d'une panoplie de fée. Mais sache que la seule maîtresse que l'on aime retrouver en toi, c'est la maîtresse d'école. Tu t'imagines faire tourner la tête des hommes, mais tu n'as que des clients comme moi qui aiment salir tes boléros en satin.

— …

— Réconcilie-toi avec Nanou. Tout ira mieux après. Et ça évitera les faux plis.

Yves mit son casque pour parer aux gifles autant qu'aux embrassades. Il fit démarrer son scooter au premier kick. Elle glissa dans la poche de son blouson la fiasque du grand-père Horace. Il lui dit adieu des yeux puis s'engagea dans la rue, tourna un instant en ville, et trouva le chemin de Paris. Il était temps de passer à la suivante.

*

À onze heures, Denis terminait sa mise en place pour le déjeuner, pendant que son patron mettait le nez dehors pour décider de sortir ou non la terrasse. En ce tout début d'automne, la question se posait encore. À travers un voile gris, un rayon de soleil menaçait de poindre. On dressa quelques tables sur le trottoir.

La brigade quasi complète s'y installa pour partager soit le bœuf aux carottes, soit le saumon à l'unilatéral qu'on allait servir en plat du jour. Denis se montra plus volubile qu'à l'accoutumée, d'une ironie mordante et systématique. Comme à son habitude avant le rush de midi, il n'avait bu que de l'eau, et pourtant sa joyeuse misanthropie semblait issue d'une ivresse subite. Tout y passait : la nouvelle carte du chef, le stress du barman, les maniaqueries du patron, mais surtout l'humeur des clients, et dans clients il fallait entendre l'humanité entière, cette engeance si tristement prévisible, ce catalogue de nuisances. Il dressa la longue liste de leurs bizarreries quotidiennes, de leurs caprices dérisoires, de leur mesquinerie parfois abyssale. Nul besoin de régler leur compte aux acariâtres, aux autoritaires, aux vulgaires et aux mal élevés qui se désignaient eux-mêmes à peine assis à table. La vindicte de Denis se portait plutôt sur les sournois qui affectaient une courtoisie plus stratégique que sincère. Le poli cachait souvent sa condescendance envers le larbin. L'aimable trahissait sa hantise du rapport de force. Le généreux attendait qu'on le traitât comme un prince. En résumé, tout individu pénétrant dans un lieu afin de s'y faire servir de la nourriture était suspect. Chacun des serveurs reconnaissait un habitué, une phrase type, et apportait à

274

cette belle démonstration sa touche personnelle. Pourtant Denis n'était pas dupe de sa propre mauvaise foi ; en bon professionnel du service en brasserie, il ne se formalisait plus de l'inélégance ordinaire. Ce matin-là, l'amère faconde de Denis Benitez, à désespérer de ses contemporains, était tout droit dirigée vers Marie-Jeanne Pereyres.

Fatigué de l'incriminer pour son obstination à ne rien dévoiler de ses desseins, il ne lui restait plus qu'à s'en prendre aux autres, tous les autres.

*

Yves longea le cimetière Montparnasse par le boulevard Edgar-Quinet et arrêta son scooter devant un café où l'attendait Jacek Kowalczyk. Depuis leur rencontre sur le chantier d'un hôtel particulier de Saint-Cloud, Yves donnait ses coordonnées quand on lui demandait s'il connaissait un bon électricien — Jacek l'en remerciait régulièrement mais rares étaient les occasions de se parler de visu. Il fut soulagé de le voir à une table, mais surpris de ne pas l'y voir seul. Jacek lui présenta une petite dame blonde aux cheveux mi-longs et bouclés, les joues rebondies, un sourire inquiet aux lèvres.

— Ewa, ma femme.

Yves tourna un compliment à Mme Kowalczyk puis jeta un œil noir vers son collègue.

— Je t'avais dit que c'était un rendez-vous délicat.

— Justement ! Je l'ai emmenée pour nous aider. Surtout avec ces histoires-là…

À la maladresse de Jacek s'ajoutait le regard accusateur de sa femme, réquisitionnée pour une affaire de mœurs. À coup sûr tordue comme elles l'étaient toutes. Aux antipodes de ses préoccupations de mère de famille et d'ouvrière. Yves se sentit jugé par un regard féminin, et au fil de la conversation un malaise gagna, dont l'apogée fut l'arrivée d'Agnieszka. Depuis leur dernier rendez-vous, les marques de son agression au visage s'étaient effacées, mais un voile invisible avait brouillé la fraîcheur de ses traits, et cette étincelle de naïveté qui brillait dans ses yeux avait disparu. En français, Yves l'invita à s'asseoir puis passa le relais à Jacek.

— Explique-lui que, pour la première fois, je vais avoir besoin d'un traducteur. En l'occurrence, de deux.

Yves entendit dans les intonations de Jacek ses efforts de diplomatie, puis perçut le soulagement dans le regard d'Agnieszka, leur joie partagée de faire connaissance dans leur langue natale. Il lisait aussi dans les yeux d'Ewa un mélange de curiosité et de réserve face à une femme qui avait choisi de se prostituer pour vivre. L'évidente beauté de cette fille avait-elle joué un rôle dans ce choix-là ? Avaient-elles toutes deux émigré pour les mêmes raisons ? Agnieszka avait-elle souffert, comme elle, durant son enfance ? Quels liens gardait-elle avec le pays ? Parmi les premiers mots qu'elles échangèrent, Yves crut reconnaître celui de Cracovie, puis quelques dates, et le tout ressemblait à un rituel entre deux immigrés d'un même pays : lieu de naissance, arrivée sur le territoire français, profession.

Le dialogue tourna vite au bavardage et Yves n'osa plus intervenir. Ewa, bien moins sur ses gardes, posa une question qui fit rire Agnieszka.

— Elles se disent quoi, là ?

— Rien, répondit Jacek, Ewa a juste fait une blague impossible à traduire.

Yves esquissa un sourire pour participer à cette soudaine convivialité, puis, comme un discret rappel à l'ordre, posa un billet d'avion sur la table.

— Aller-retour pour Varsovie. Dites-lui que le retour est open mais qu'elle n'est pas obligée de l'utiliser.

Au lieu de Jacek, Ewa traduisit avec un souci de précision jusque dans ses intonations.

— J'ai ajouté 2 000 € pour le manque à gagner. Dites-lui surtout de prendre ce séjour comme des vacances. Qu'elle en profite pour revoir sa famille.

Cette fois, à la traduction d'Ewa, Jacek ajouta une précision que sa femme remit aussitôt en question, ce qui donna lieu à une controverse. Jacek chercha l'assentiment d'Agnieszka sur un point précis mais Ewa ne lâcherait pas, car ce point-là demandait un sens de la nuance dont son mari était incapable. Yves se demanda s'il n'était pas de trop.

— Va-t-on m'expliquer ce qui se passe ?

— C'est rien, dit Jacek, ma femme veut savoir en combien de temps Agnieszka gagne 2 000 €.

— N'importe quoi ! fit Ewa. C'est lui qui ne sait pas traduire « manque à gagner ».

Yves sentit monter en lui une pointe d'agacement ; il avait espéré, malgré l'étrangeté de la situation, lui garder un peu de solennel. Il regrettait maintenant d'avoir fait appel à des tiers, lui qui n'avait jamais eu besoin de personne pour signifier à Agnieszka les plus subtils arguments.

— Dites, vous deux. Cette fille souffre depuis qu'elle est à Paris, elle est courageuse mais elle vit dans la peur. La peur du flic, la peur de l'agression, la peur que sa famille apprenne ce qu'elle fait pour vivre et, pire encore, la peur que sa famille finisse par l'oublier. Elle encaisse parce qu'elle a appris à encaisser mais un jour ou l'autre il va lui arriver quelque chose de très pénible.

Après ce qu'elle avait subi, n'était-ce pas le moment pour Agnieszka, encore sous le choc et en proie au doute, de saisir cette chance d'un retour en arrière ? Si elle se remettait de cette agression-là, plus rien ne viendrait contredire un sort tout tracé, pas même la suivante, ni la suivante, ni toutes les autres, morales ou physiques. Il fallait maintenant transformer ce malheur en aubaine avant que sa peau délicate ne se tanne comme du cuir et que son cœur ne s'endurcisse jusqu'à ne plus rien éprouver.

— J'ai l'impression que ta femme vient de lui poser une question, mais je n'ai pas posé de question !

— Ewa a demandé à Agnieszka si elle avait beaucoup de clients qui lui faisaient des cadeaux comme ça.

— Et qu'a-t-elle répondu ?

— Que tu étais le premier.

Yves ne s'était pas trompé, le mal du pays rongeait la belle, et ce joyeux impromptu avec ceux de *là-bas* en était l'éclatante confirmation. Ewa, investie d'une mission solennelle, se voulait la plus fidèle des porte-parole mais ne pouvait s'empêcher d'en rajouter, tout ardente de solidarité, mêlant son histoire à celle d'Agnieszka dans un flot impossible à endiguer. Bientôt les deux femmes oublièrent l'entourage, une anecdote semblait appeler un aveu, une digression, et quantité de souvenirs d'enfance, l'une à Lublin, l'autre à Cracovie. Yves regarda à nouveau sa montre, montra des signes d'impatience, craignit de n'avoir pas été entendu.

— Qu'est-ce qu'elles disent, là ?

— Agnieszka a une sœur qui a fait ses études à Cracovie, dans un quartier tout près de là où Ewa est née. Elles se sont trouvé un endroit commun, un petit bistrot de quartier où l'on sert un salami à l'oignon. Mais elles se demandent si elles ne se sont pas déjà croisées à la messe de Noël de la Mission Catholique Polonaise de la rue Saint-Honoré.

— … ?

Jacek profita de la conversation enflammée des deux femmes pour, à mi-voix, demander à Yves :

— Juste par curiosité, combien coûte une heure avec une fille comme elle ?

Si même il en avait eu l'intention, Yves n'eut pas le temps de répondre. Comme si elle avait senti une abomination, Ewa blâma son mari de ne jamais lui faire la surprise d'un voyage, lui suggérant ainsi, et sans le savoir, une bien meilleure idée pour dépenser son argent.

— Pourquoi tu ne m'envoies pas en vacances ? Pourquoi pas moi ?

Yves échangea un dernier regard avec Agnieszka

et fit glisser vers elle son billet. Elle se pencha pour l'embrasser, pour la toute première fois, sur les lèvres.

Puis il quitta la table. À l'autre bout de Paris, on l'attendait.

*

Loin de se calmer, la morgue de Denis Benitez s'était aiguisée au contact d'une trentaine de clients qui souriaient à ses saillies narquoises. Plus de la moitié étaient des femmes et Denis n'en négligeait aucune, seules ou à deux, avec une préférence pour les tablées de quatre ou cinq, car là résidait une véritable difficulté : comment faire sentir à chacune qu'elle était sa préférée. En s'aidant de son pouvoir de décryptage, Denis les épinglait comme les papillons d'une infinie collection, toutes ailes déployées, figées en plein vol.

Celle-ci, près du bar, *la soixantaine chic, ancienne belle qui lâcherait tout pour un dernier tour de manège.*

Cette autre, *l'arrogance de celle qui n'a jamais aimé, elle apprend enfin à baisser sa garde mais sans doute trop tard.*

Ou encore celle-ci, *voix d'ancienne fumeuse, sait toujours lever le coude, rides du sourire, elle ne regrettera rien.*

Et puis *cette drôle de petite personne, myope, les cheveux bouclés, grande patience face à la vie, elle n'en aimera jamais qu'un seul, mais pas forcément le bon.*

Ah si seulement il avait pu user de ce même pouvoir sur la seule femme indéchiffrable à ses yeux. De peur qu'elle ne se lasse, il avait renoncé aux questions essentielles — *Qui est Marie-Jeanne Pereyres ? D'où vient-elle ? Que me veut-elle ?* — pour n'en garder qu'une seule : *Quand va-t-elle me quitter ?* Chaque soir il brûlait de la lui poser, chaque soir il se contentait de raconter sa journée et s'endormait contre elle. Le lendemain, elle était encore à ses côtés, un livre à la main, du café chaud sur la table de chevet. Ils reprenaient alors leur exploration des corps, cherchaient à se surprendre avant de retourner aux figures que tous deux affectionnaient. Ensuite Denis partait travailler et la semaine s'écoulait sans la plus petite variation. Le dimanche, il leur arrivait de prendre l'air aux abords d'un canal, de boire un verre en terrasse, d'évoquer le passé mais jamais l'avenir, puis Denis proposait de rentrer pour réparer sa fatigue accumulée. Dès le lendemain, il retrouvait sa frénésie, son agilité d'esprit, parlait à ses clientes avec une rare désinvolture, décochait ses bons mots comme les répliques d'un vaudeville, usait comme un prestidigitateur des trucs appris durant vingt années de service. À travers ces dizaines de femmes qu'il croisait jour après jour, c'était Marie-Jeanne Pereyres qu'il voulait amuser, chahuter, choquer, séduire. Et par-dessus tout, retenir.

En débarrassant les tables avant la pause, il trouva près d'une tasse une serviette en papier où était écrit : *Le filet était mignon et le serveur plus encore*, suivi d'un numéro de mobile. Denis la chif-

fonna par réflexe. Puis la défroissa. Hésita longtemps. Et la chiffonna à nouveau.

*

Quand il arrivait à Yves Lehaleur de pénétrer
dans la cour pavée d'un très vieil immeuble, il se
plaisait à imaginer les scènes d'époque qui s'y
étaient déroulées, les costumes qui s'y étaient croisés, et toute cette vie passée là donnait son cachet
au lieu. Dans ce quartier tranquille de la porte
Dorée, au sud-est de Paris, une ancienne écurie
datant du XVIIIe abritait depuis plus d'un siècle
divers artisans qui, à l'heure de la retraite, cédaient
leur bail à de jeunes confrères, ambitieux, incons-
cients, prêts à se lancer dans la carrière en en res-
pectant les traditions. La cour rectangulaire, où sur
un sol chaotique se déployait un gigantesque cèdre,
réunissait les ateliers d'un tapissier, d'un vernis-
seur, d'un ébéniste et d'un encadreur. Entre une
odeur de laque et le grésillement d'un transistor,
Yves cherchait au hasard des pas de porte et des
verrières un local récemment libéré.

— Vous êtes un des tout premiers à le visiter,
lui dit un voisin en charge des clés. Avant c'était
une imprimerie, avec une presse de lithogravure.

Yves entra dans une grande pièce vide aux murs
en plâtre écaillé, où trônait en son milieu un poêle
Godin vétuste mais toujours actif, dont l'odeur de
feu de bois cachait à peine celle, persistante, des
encres. Une fois seul, il imagina là encore la plé-
thore d'artistes qui s'étaient succédé ici, émus de

voir renaître leurs œuvres entre les mains expertes du lithographe. Il sentit les murs vibrer sous les roulis de la presse, entendit les cliquetis de son délicat mécanisme, il vit même jaillir des estampes, fraîches et vives, des entrailles de la machine. Céline le tira de sa rêverie d'un prosaïque : *Qu'est-ce qu'on fout ici ?*

Yves lui laissa imaginer les plus extravagantes réponses, mais aucune ne le serait autant que la vraie.

— Dis-moi que tu m'as donné rendez-vous ici pour baiser. Un fantasme qui t'aurait traversé l'esprit. Un coup tiré vite fait derrière une porte cochère. Un truc dans le genre. Parce que si c'est le cas, je suis tout à fait d'accord. On s'y met tout de suite et on rentre.

— Bail commercial. Il y a une reprise à payer mais ensuite le loyer est très abordable.

— Qu'est-ce que tu racontes ?

— Je fais le chèque pour la reprise. Tu me rembourses dès que tu peux. Ça te permettra d'investir dans le matériel.

Elle continua de jouer l'étonnée quand en fait elle savait si bien où il voulait en venir, et de si perverse manière. Dès les premiers pas, cet espace inconnu lui parut si familier, si juste. Elle voyait déjà comment orienter un four de cent quatre-vingts litres, mais aussi un tour de potier, près du point d'eau, face à la cabine d'émaillage, tout près de cette source de lumière. Le plan de travail ? Là, contre le mur, et elle fixerait par-dessus un râtelier où stocker ses pains de terre et ses outils. Près de l'entrée, elle disposerait ses productions sur des rayonnages, et le tout tiendrait dans cinquante mètres carrés, dans cette cour de rêve.

— Je ne suis pas prête. Je ne le serai jamais.

Après avoir manié le grès, la lave, la porcelaine et le kaolin, elle proposerait d'abord de petits objets, tasses, bols, soliflores, et une théière qu'elle avait dessinée des années auparavant sans jamais la réaliser. Elle ferait alterner les formes simples aux motifs sophistiqués et les formes sophistiquées aux motifs simples. Chaque pièce serait unique.

— Il faut se décider avant dix-huit heures.

Puis elle renouerait avec d'anciens contacts, elle démarcherait auprès des boutiques, elle irait courir les marchés de la poterie, les salons, elle imposerait sa gamme et l'on reconnaîtrait son style au plus discret de ses objets.

— Dis oui, et je t'accompagne dans un centre de formalités des entreprises. Tu te déclares, ils s'occupent du reste, et avant ce soir, tu n'es plus une pute mais une céramiste.

Vingt minutes plus tard, sur un scooter qui sillonnait les rues du XIIe arrondissement, Céline, agrippée au torse d'Yves, le menton posé sur son épaule, lui glissa à l'oreille qu'elle n'était pas enceinte. Même s'il n'en avait jamais douté, Yves en fut soulagé.

— Je te rembourserai, j'y mettrai le temps qu'il faudra. Je peux même te proposer un arrangement.

— … ?

— Tu m'appelles dès que tu as envie de moi. Tu seras le tout dernier client de ma vie d'avant.

— C'est une plaisanterie ?

— Je tapine plus, je rembourse !

Un instant plus tard, il la déposa devant un bâtiment, la prit dans ses bras et lui promit d'étudier sa proposition. Entre toutes, Céline était la seule dont Yves se souviendrait comme d'une *fille de joie*.

*

À l'heure des dernières additions, Denis Benitez et ses collègues savouraient ce moment où chacun lâchait son tablier pour décompresser à sa manière, soit en fumant une cigarette en terrasse, soit en comptant ses pourboires, soit en bavardant au bar en attendant le départ des clients accrochés à leur table. Denis passa derrière le comptoir pour se préparer un cocktail dont il avait eu envie pendant toute la durée du service. Les chefs de rang David et Remo, perchés sur des tabourets, se demandaient ce qu'ils allaient faire de leur nuit, quand leur parvinrent les gloussements de deux jeunes femmes qui terminaient leur vin blanc.

— Qui s'occupe de la 14 ?

Denis hocha la tête, puis goûta à l'âcre douceur d'un juste mélange de gin et de Campari.

— Elles ont l'air cuites à point, fit Remo.

— Elles regardent vers nous, mais lequel ? demanda David.

Sans se mêler à leur conversation, Denis se prépara un second verre, plus corsé encore, afin de faire disparaître un début de mélancolie qui l'avait saisi à la nuit tombée. L'alcool aidant, ses obsessions, comme les voix de ses collègues, s'estompaient.

— Elle est canon, celle en rouge, dit Remo.

— Je préfère celle de dos.

— Si elle est de dos, comment tu peux savoir ?

— Elle a plus de classe, ça se voit, même de dos. C'est d'ailleurs ça, la classe.

— Moi je dis : elles sont célibataires.

— Non, c'est le genre de dîner : « Ça fait du bien de se retrouver entre filles ». Elles *débriefent*.

— Elles *débriefent* ou elles *updatent* ?

— C'est quoi la nuance ?

— Deux nanas qui ne se sont pas vues depuis un certain temps, elles *updatent*. Mais si l'une des deux vient de vivre un truc important, elles *débriefent*.

— On leur fait le coup du digestif maison ?

— Elles ont assez picolé.

— Moi je dis : c'est des bourges. Pas le genre à se taper des serveurs. On n'a aucune chance. Elles ont pris quoi ?

Remo saisit dans une coupelle l'addition que Denis tenait prête.

— Deux girolles, un carpaccio de saint-jacques, un thon à la plancha, deux mi-cuits au chocolat.

— Merde, des intellectuelles.

— Des intellectuelles, mais des chaudes.

— Des intellectuelles chaudes, mais mariées à des cadres sup.

Le verre à la main, Denis se sentit franchir le seuil d'une zone paisible ; il n'était plus en attente ni en souffrance, et ne redoutait plus la logique de l'intruse : si elle s'entêtait à rester indéchiffrable, tant pis pour elle. Sur le coup d'une impulsion, il décida d'en finir avec la conversation absurde qu'il subissait depuis tout à l'heure.

— Celle en rouge s'appelle Myriam, elle bosse dans une chaîne de télé, à la compta. Elle prend des cours de danse moderne. Elle vient de quitter son mec, un « gros lourd » d'après elle, et elle ne cesse de rappeler qu'elle est libre, elle veut que ça se sache. L'autre s'appelle Charlotte, elle habite à Montrouge, elle est assistante de direction, elle vit une aventure avec un commercial de sa boîte mais se prétend « trop coquine pour être fidèle ».

— Bah au moins maintenant on sait qui elles regardent, lâcha Remo.

— Denis ! Propose-leur d'aller boire un verre ailleurs. Fais ça pour nous ! Le temps qu'on fasse connaissance et tu t'esquives en douce.

— M'esquiver ? Pourquoi ?

*

Sylvie ne portait pas de vêtements noirs pour tenter d'affiner ses formes, mais des couleurs vives pour les assumer au grand jour. Elle souriait la plupart du temps, même dans les moments graves, même au travail ; ce sourire-là déconcertait souvent ses clients, qui craignaient d'y déceler une moquerie, un détachement impensable pour une pute ; il ne lui servait qu'à résister à la misère morale, à déjouer les pièges de la laideur ordinaire, et rien ne pouvait l'effacer, pas même ses larmes.

— Je ne sais pas comment te remercier de n'avoir pas porté plainte. Demande-moi ce que tu veux.

— Tout ce que je veux ?

— Tu n'arriveras pas à me surprendre.

Yves l'avait invitée dans un café de la place du Châtelet à l'heure où les théâtres se vident et les bars se remplissent. D'habitude, à cette heure-là, elle essorait son dernier client jusqu'à l'exultation, au besoin elle le consolait de sa tristesse post-coïtale, puis elle retournait vers son julot. Devant la télé, une assiette sale dans un coin, il lui demandait tout excité : *C'était comment ta journée ?* Ce qu'elle traduisait par : *T'as fait combien ?* Les bons soirs, après les comptes, il la gratifiait d'un : *C'est bien bichette*, et sortait faire un tour on ne sait où, billets en poche.

— Quitte ce sale con.

— Quoi ?

— Oublie cet enfoiré. Si tu veux continuer à faire la pute, fais-le pour toi, par pour ce pourri.

— Tu peux pas comprendre.

— Si encore tu t'étais entichée d'un vrai voyou, un ennemi public, un évadé par hélicoptère, un bandit d'honneur — paraît qu'il y a des amatrices — je ne me serais pas permis de m'en mêler, mais ce gars-là est un minable et un couard. Ses petits yeux brillent devant les films de gangsters, mais il a besoin de te casser le bras pour se sentir viril. Et puis tu n'es même plus amoureuse, si tu l'as jamais été. Tu as juste pitié.

Comme l'aurait fait un homme amoureux, Yves fit l'éloge de Sylvie, bien plus courageuse et plus généreuse que ce demeuré qui savait flatter en elle le sens du sacrifice. Yves ne lui laissait plus le temps d'argumenter mais cherchait à l'étourdir de paroles, à la brusquer, à forcer la seule décision à prendre.

— Quitte-le. Quitte-le ce soir.

— Il va devenir fou.

— C'est un lâche. Qu'est-ce que tu penses qu'il fera ? Sa seule force est celle que tu lui donnes.

— Je sais.

— Tu ne rentres pas chez toi. Tu pars, loin de Paris. Tu as une adresse ? Quelqu'un qu'il ne connaîtrait pas ?

— …

— Réfléchis, bordel !

— Ma copine Maïté…

— Où ?

— À Biarritz.

Yves regarda sa montre, saisit son téléphone. Pour avoir anticipé cette conversation et ses consé-quences, Yves avait choisi de donner rendez-vous à Sylvie au centre de Paris. De là, il pouvait rejoin-dre n'importe quelle gare en moins de temps qu'il n'en fallait pour la convaincre. Il la prit par la main, l'entraîna au-dehors, posa d'autorité un casque sur sa tête.

— On file gare d'Austerlitz, on a juste le temps.

— … ?

— Le dernier est à 23 h 11, tu seras là-bas à 6 h 53.

— Mais… Je ne peux pas partir comme ça, sans rien, sans prévenir personne !

— Surtout sans prévenir personne.

Incapable de fuir, elle le regarda manœuvrer son scooter en direction du quai de Seine. Il lui ordonna de monter, elle obéit, tétanisée par une autorité qu'elle ne lui connaissait pas, enfourcha l'engin comme elle put, s'accrocha à la sangle et faillit perdre l'équilibre au premier coup d'accélérateur. En traversant le pont de Bercy, il s'arrêta sans couper le moteur et demanda à Sylvie son téléphone.

— Pour quoi faire ?

— Donne, je te dis.

Dès qu'il eut l'appareil en main, Yves le jeta dans la Seine.

— Comme ça, tu ne seras pas tentée de lui répondre, ni de le joindre.

Les cris outragés de Sylvie restèrent bloqués dans sa gorge. Il reprit sa route jusqu'à la gare, laissa son scooter n'importe où, tous deux rejoignirent au pas de course un guichet où il prit un aller simple. À une minute du départ, ils se ruèrent vers le dernier train à quai. Dans sa cavale, elle se sentit légère, fière et fugitive, portée par un souffle, déjà hors d'atteinte.

— Arrivée là-bas, tu files chez ta copine, et tu laisses le temps s'écouler. Tu sais faire ça mieux que personne.

— Et si Grégoire essaie de me joindre ?

— S'il est aussi amoureux que tu le dis, s'il est prêt à assumer cette terrible honte de paraître à ton bras, laisse-le mariner, il attendra. Ou mieux, il te retrouvera.

À bout de souffle, elle dit :

— Je ne… Je ne savais pas… que j'étais encore capable de courir.

Pour ne pas éclater en sanglots, elle éclata de rire, puis grimpa le marchepied de la voiture. Une fois la portière fermée, elle posa la paume de sa main contre la vitre. Yves posa la sienne au même endroit. Elle prononça une longue phrase qu'il ne put entendre.

Bien vite il se retrouva seul sur le quai désert.

*

Autour d'une bouteille de vodka dans un seau à glace, les couples s'étaient formés. Remo remplissait le verre de Myriam en feignant un vif intérêt pour son job dans une chaîne de télévision. Elle avait beau répéter que ça n'avait rien de passionnant, elle se laissait volontiers prendre au jeu de l'interview. David s'était rapproché de Charlotte sur la piste de danse ; tous deux aimaient les boîtes de nuit moins pour les rencontres qu'on y faisait que pour cet état de combustion spontanée que provoquaient une musique infernale et les corps en fusion alentour ; les leurs s'étaient aimantés, leurs déhanchements se répondaient, et une intimité s'était nouée. Denis, sur une banquette en moleskine rouge, le verre vissé à la main, prêtait une attention distraite aux confessions d'une Mélanie, qui s'était laissé offrir un verre. Lui qui jadis avait été coutumier de ces ambiances nocturnes trouvait aujourd'hui très paradoxale cette communication où, désinhibés par l'alcool, des inconnus partageaient un moment de grande sincérité en se hurlant à l'oreille. Vers les trois heures du matin, Mélanie tentait de convaincre son interlocuteur de la parfaite injustice des équivalences de diplômes pour le concours externe de l'É.N.A. Denis, le tympan martelé, hochait la tête pour attester de son écoute, quand en fait son esprit embrumé le transportait au chevet de Marie-Jeanne, qui peut-être veillait en l'attendant. Il but d'un trait une autre vodka pour entretenir son ivresse et calmer sa colère ; celle qu'il n'avait jamais cessé d'appeler *l'intruse* persistait à ne rien avouer des raisons de sa présence chez lui, pas plus qu'elle ne le rassurait sur leur avenir commun. Certes elle lui offrait son corps et sa joie de vivre, mais Denis avait-il rien réclamé ? Elle s'était immiscée dans son vestibule, puis dans sa vie, sans la moindre autorisation et sans jamais s'en expliquer. Las des hypothèses et des spéculations, il devait en avoir le cœur net, et cette nuit même. Il savait désormais comment lui faire avouer son dessein caché et la mettre au pied du mur, la bousculer, la meurtrir s'il le fallait. À coup sûr, Marie-Jeanne Pereyres attendait, elle aussi, cet ultime affrontement.

— Tu comprends, avec mon D.E.S.S. de gestion, je ne suis pas spécialement avantagée, si j'avais voulu passer le…

— On va chez moi ?

Sous un tonnerre de décibels, elle crut avoir mal entendu. Denis passa la main derrière la nuque de Mélanie, approcha ses lèvres de son oreille, et avec une troublante fermeté répéta :

— On va chez moi.

Ça n'était déjà plus une question.

Le temps d'un trajet en taxi, ils dégrisèrent à peine. Mélanie, trop occupée à détailler les méandres de son parcours professionnel, s'aperçut qu'elle avait omis de demander à Denis :

— Et toi, tu fais quoi ?

À une autre époque, il aurait éludé la question par l'humour mais ce soir il répondit : *Serveur dans une brasserie.* Ne trouvant rien de mieux, elle répondit : *C'est cool*, et se laissa prendre la main dans le hall de l'immeuble. Étourdi par l'alcool, il manqua de trébucher en montant l'escalier, retint un éclat de rire. Arrivé devant la porte, il chercha sa clé, se pencha pour embrasser Mélanie dans le cou.

Qu'elle fût humiliée, déçue, ou paniquée à l'idée de le perdre, Marie-Jeanne allait quitter sa belle réserve pour éclater en sanglots ou lui cracher au visage.

Il entra le premier, alluma toutes les lumières du salon, fit autant de bruit qu'il put, retrouva une bouteille de vodka dans le congélateur, passa un disque de jazz, trinqua avec Mélanie puis l'enlaça.

Sans doute ne s'était-il pas assez signalé, la porte de la chambre restait close, Marie-Jeanne dormait à poings fermés, il allait devoir la réveiller et lui assener une méchanceté de soûlographe, la pire dont il serait capable, et dans la foulée il lui présenterait sa rencontre d'un soir.

Il entra dans la chambre, alluma le plafonnier et trouva le lit vide.

Sur la table de nuit, un billet plié.

Te voilà réparé, je crois. Sois heureux, tu le mérites.

Marie-Jeanne

Mélanie hésita à le rejoindre aussi promptement dans la chambre. Elle lui lança de loin :

— Et si on faisait d'abord connaissance ?

*

À six heures du matin, Yves Lehaleur se réveilla d'un sommeil dense et calme, ô combien mérité selon lui. Les femmes qui avaient traversé sa vie en étaient toutes sorties depuis hier, et la vie, avec ses hasards heureux et malheureux, allait reprendre son cours. Sans doute allait-il s'accorder une longue trêve afin de reposer ses sens émoussés par tant de nuits agitées, par cette inflation de plaisir, par son épuisant commerce avec elles toutes.

Dans la pénombre il vit clignoter le voyant rouge de son répondeur et la curiosité le poussa à se mettre debout. Il entendit le courtois mais sentencieux message d'une demoiselle Perrine Le Bihan, conseillère de son agence bancaire, et seule femme au monde à s'interroger sur le mode de vie de son client. Depuis plusieurs mois elle avait cherché à le joindre pour lui expliquer le principe d'une assurance-vie et lui demander à mots choisis pourquoi la sienne se réduisait comme une peau de chagrin. Désormais cette bataille semblait perdue ; dans son message, elle lui annonçait que son solde, jadis de 87 000 €, était aujourd'hui créditeur de 26,45 €. Yves se rendit hommage pour avoir géré son budget de débauche avec une telle précision. Il passa un pantalon et un blouson, descendit dans la rue, se promena un long moment pour goûter à la fraîcheur du matin en se demandant comment dépenser, en ce début de week-end, ses dernières économies. Il s'arrêta devant la carte d'un hôtel chic qui proposait un brunch continental à 22 € — il ne trouverait pas mieux.

À quelques tables de là, sur une terrasse déserte, un couple de tout jeunes adultes, défraîchis par leur nuit blanche, raclaient le fond de leurs poches pour s'offrir un café. En fumant une Camel, ils commentèrent avec l'arrogance de leur âge leurs frasques de la nuit. Puis s'enlacèrent avec impudeur. Passionnés. Rayonnant de leur amour exclusif. Persuadés que Paris était à leurs pieds. Que le monde n'avait qu'à bien se tenir. Que l'avenir ne s'arrêterait plus.

En les épiant d'un œil attendri, Yves Lehaleur se dit que, malgré ses efforts, il n'était pas à l'abri d'un prochain amour.

*

— Je crois qu'on ne s'est pas vus depuis cette soirée au Crillon.

— Avant ça, on s'était croisés rue de Tournon.

— Ou rue Mazarine, plutôt ?

— Peu importe, c'était aussi par hasard. Je ne sais pas s'il est très judicieux de laisser au hasard le soin de nous réunir.

— C'est ce pourquoi je t'ai appelé.

— Je n'y ai pas cru tout de suite quand j'ai entendu ton message. Pour être franc je me suis dit : *Juliette m'invite au restaurant, qu'est-ce que ça cache ?*

— On ne déjeune pas tous les jours avec un miraculé.

— Ah… toi aussi tu as suivi ce truc.

— Comment y échapper ? Vous étiez dans tous les journaux, on en a même parlé au vingt heures.

— Je m'en serais bien passé.

— La villa avait l'air superbe, même dévastée. La version que j'ai entendue est la bonne ?

— Quelle version ?

— Vous deux abandonnés sur une colline, livrés à vous-mêmes, etc.

— Je sens bien l'ironie dans ta voix, mais quand tu es sur place et que l'océan commence à te lécher les pieds, tu perds progressivement ton second degré. Une fois la tempête passée, il nous a été impossible de redescendre sur la côte tant la colline était ravagée. Il a fallu attendre les secours.

— Combien de temps ils ont mis avant d'arriver ? Vingt-quatre heures ?

— C'est ce qu'ils ont dit, mais en temps figuré ça m'a paru vingt-quatre jours. Et le pire c'est que, si ça n'avait pas été pour secourir la célèbre Mia, je crois que j'y serais encore.

— Ah ça, l'annonce de la disparition de Philippe Saint-Jean a dû émouvoir disons… deux étudiantes dans un couloir de la Sorbonne ? Sans oublier ta sœur aînée, et peut-être ton éditeur.

— Penses-tu, il était ravi. Il a osé me demander de lui pondre un petit bouquin sur ces vingt-quatre heures-là. Tous les ingrédients étaient réunis : une catastrophe naturelle, une *people* en perdition, et un philosophe qui se pose ses dernières questions devant les éléments déchaînés. Le tout avec déjà beaucoup de presse avant même la parution. Que du bonheur.

— Qu'as-tu répondu ?

— Je l'ai envoyé se faire foutre.

En fait, il s'était lancé dans un essai sociologique qui décrivait l'homme contemporain harcelé par des injonctions de toutes sortes et qui, à force d'être à l'écoute de son époque, n'était plus à l'écoute de lui-même. En ce XXIe siècle de surinformation, on l'exhortait au bonheur, on le contraignait au plaisir, on lui imposait le beau, on le condamnait au juste, on lui définissait quantité de normes dont il craignait d'être exclu. Si Philippe finissait un jour cette étude, il la dédierait à Mia.

— La phase la plus pénible, quand j'y repense, ça a été le sauvetage. Dès le premier sandwich englouti, une couverture de chanvre sur la tête, Mia a retrouvé son aplomb de star. En voyant les premières caméras, elle nous a composé un personnage de survivante digne du *Radeau de la Méduse*.

— Je t'ai entendu à France Info. Tu semblais moins inspiré qu'elle.

— C'était ça, le pire. Parce que j'avais ce statut d'intellectuel, ils m'ont demandé de trouver les mots. Ils s'imaginaient que j'avais assez de recul pour disserter sur ce qu'on avait subi, ils voulaient du pathétique éloquent. Et moi je me suis retrouvé comme un con devant les micros, tout surpris d'être vivant, contraint au solennel, obligé de fabriquer du sens. Quand tu n'as envie que d'un steak et d'une très, très, très longue nuit de sommeil.

— Ton image de penseur médiatique, ta philosophie *prime time*, c'est toi qui l'as cherchée, alors ne va pas te plaindre. Aujourd'hui tu es sur YouTube.

— Le plus absurde, c'est que, juste avant la catastrophe, j'avais décidé de quitter l'île en priant pour que personne ne soit jamais au courant de cette escapade sous les cocotiers !

— Elle est fortiche cette fille. T'entraîner, toi, en Indonésie. Du temps où nous vivions ensemble, je n'aurais jamais réussi un coup pareil.

— Je ne suis plus avec elle.

— …

— Ça t'étonne ?

— À vrai dire non. Elle et toi, c'était un peu le mariage de la carpe et du lapin.

— Lequel de nous deux était la carpe et le lapin ?

— Tout ce que j'espère c'est que ce curieux épisode t'a appris quelque chose.

Il ne répondrait jamais à cette question tant ce raz de marée avait emporté avec lui les fondements mêmes de sa pensée. Pourquoi le principe de réalité, invoqué tout au long de son exercice, s'était-il imposé justement là-bas, avec une telle brutalité ? Comment ne pas y voir une leçon d'humilité que lui donnait la nature, comment ne pas remettre en question toutes ses convictions sur le hasard, comment ne pas admettre enfin la grande vanité de toute chose, à commencer par son petit parcours de sentencieux penseur ? Lui qui s'était interdit d'imaginer l'humain comme le jouet de forces supérieures se retrouvait maintenant devant une boîte de Pandore qu'il n'oserait jamais ouvrir de peur de voir ses dernières certitudes lui exploser au visage. Il la maintiendrait enfouie en lui jusqu'à son dernier souffle comme le trésor d'une vie future, si d'aventure il y en avait une.

Aujourd'hui, il ne voulait retenir qu'une seule morale à cette inconcevable fable : le retour de Juliette, plus lumineuse que jamais.

— Qu'as-tu fait après ton rapatriement ?

— J'ai rassuré mes parents et me suis barricadé chez moi en attendant que ce cirque s'arrête. Tu es la première à me faire sortir.

— Moi ? Flattée.

— J'avais envie de revoir ton mètre 85 et tes 63 kilos. Au fait, c'est toujours ça ?

— Avec l'âge, je crains que ça ne soit 1,83 m pour 65 kg.

— Tu fais quoi, cet après-midi ?

Jamais Juliette ne lui avouerait combien elle avait eu peur de le perdre en apprenant sa disparition. Combien elle avait regretté, à cette seconde-là, de l'avoir quitté sans lui laisser une infinité de nouvelles chances. Combien elle avait été soulagée en le voyant de retour en vie, avec ou sans cette fille à son bras. Combien, aujourd'hui, elle se réjouissait de le savoir bien moins encombré de lui-même après sa mésaventure.

— Rien, et toi ?

Épilogue

Au cinquième étage d'un immeuble cossu de la rue d'Assas, dans le VIᵉ arrondissement de Paris, on trouvait un immense appartement que sa propriétaire prêtait une fois par semaine — en général le jeudi soir, entre dix-neuf et vingt et une heures — à une sorte d'association dont elle ne connaissait guère les statuts. A priori, il s'agissait d'un groupe de femmes souvent malmenées par la vie, qui éprouvaient le besoin d'en parler, et cette explication sommaire avait suffi. Dans le salon principal étaient disposées une centaine de chaises, qu'on laissait là tant que la maîtresse de céans, qui soignait ses rhumatismes dans le Sud, ne regagnait pas ses quartiers parisiens.

Ce jeudi-là, on vit apparaître de nouveaux visages. On les repérait vite à leurs yeux inquiets, à leur faux air d'écolières un jour de rentrée, à leur envie de se faire oublier. L'une d'elles cependant semblait moins mal à l'aise qu'une autre ; de taille moyenne, le cheveu mi-long d'un brun très clair, habillée d'un jean et d'un gilet de laine, elle s'installa au premier rang avec la ferme intention de n'y pas rester long-temps. De fait, dès le début de la séance, à peine avait-on fermé les portes à double battant, elle leva la main pour se désigner. On l'invita à rejoindre un grand fauteuil club qui présidait là.

— C'est la première fois que je viens, et sans doute la dernière. Après vous avoir raconté mon histoire, je disparaîtrai comme je sais si bien le faire.

Marie-Jeanne, satisfaite de son entrée en matière, comprit tout à coup pourquoi elle était venue.

— J'ai trente-sept ans. Je vis seule. Je n'ai pas souffert en amour. Je n'ai à me plaindre de rien. Mais j'ai récemment traversé un épisode qui mérite d'être décrit ici. À toutes fins utiles, je dois préciser que je n'ai pas eu d'enfant, malgré l'acharnement dont nous avons fait preuve, mon compagnon et moi. Nous nous étions imaginés en parents parfaits et aimants mais, après un interminable chemin de croix où nous avons tenté tout ce que la science nous proposait, ce rôle-là semblait ne pas nous être dévolu. Lassé, le compagnon en question est allé faire des enfants ailleurs, et pendant longtemps je me suis vue comme certains me voyaient : un être sec qui ne sera jamais tout à fait femme en n'étant jamais mère. À la longue, je me suis convaincue que nous n'étions pas toutes destinées à l'être, et j'ai vécu dix ans dans un relatif détachement, prête à vivre les expériences que la vie me proposait. Et notamment celle que je viens vous raconter, car s'il ne m'a pas été donné la chance de créer une vie, j'en ai toutefois sauvé une.

Son postulat posé, elle retint un instant la suite comme une conteuse qui sait embarquer son auditoire.

— J'ai entendu un jour par hasard — j'utilise hasard faute de mieux — un témoignage que jamais je n'aurais dû entendre. Un homme se plaignait. Un homme comme tant d'autres, pas bête mais pas spécialement brillant, plutôt drôle, mais souvent sans le vouloir, un homme que certaines d'entre vous auraient trouvé charmant, et que d'autres n'auraient pas même remarqué, bref, un homme comme nous en avons toutes connu un. Celui-là avait pourtant quelque chose d'exceptionnel : il en voulait à toutes les femmes du monde de l'avoir choisi pour se venger de la vilenie ancestrale des hommes.

Où avait-elle entendu ce témoignage ? Qui le lui avait rapporté ? Le tenait-elle de ce fameux soir où, devant une centaine de témoins, un homme s'était plaint d'une si terrible injustice, avec une si cruelle précision ? S'était-elle introduite dans cette société secrète ? Et si oui, comment avait-elle fait pour gruger cette assemblée où jamais aucune femme ne s'était mêlée ? Ou bien un indélicat lui en avait-il parlé, trahissant ainsi tous ses congénères ? Une chose semblait certaine : Marie-Jeanne Pereyres avait *entendu* Denis Benitez.

— J'ai toqué à la porte de cet homme-là et l'ai trouvé dans un tel état de confusion, de désordre intérieur, que ses dernières résistances ne m'ont pas empêchée de m'installer chez lui. J'étais libre de mon temps, avec assez d'économies pour tenir plusieurs mois, pourquoi ne pas tenter cette aventure unique ?

La seule dans l'auditoire à se demander comment une telle chose fut possible était justement l'une des nouvelles visiteuses. Pauline estimait que l'intervenante passait trop vite sur des points essentiels : quels mots avait-elle employés pour le convaincre de se laisser envahir ? S'était-elle interrogée sur les véritables raisons de se lancer un défi aussi invraisemblable ? Comment ne pas trouver suspect ce soudain dévouement pour un inconnu ? Pauline reconnut que ce qu'elle avait à raconter lui paraissait bien banal en comparaison de ce qu'elle entendait.

Quelque temps plus tôt, elle s'était appelée Mme Lehaleur, jusqu'au triste matin où, sans même s'en apercevoir, elle était redevenue Pauline Revel. À cause d'une escapade d'un soir, elle avait été répudiée comme une pécheresse, sans la moindre chance de rachat, et de se voir ainsi dans les yeux de son mari l'avait souillée. Elle avait désormais besoin de se confronter à des femmes, qui ne la jugeraient pas comme l'homme qu'elle avait aimé jadis l'avait jugée. Aujourd'hui, elle ne se sentait plus coupable de la fin tragique de leur couple, mais elle devait, une fois, une seule, raconter *sa* vérité.

— L'expérience a duré plusieurs mois, avec ses règles et ses contraintes, mais aussi ses joies, ses malheurs et ses excès.

Une autre nouvelle venue semblait terrassée par ce qu'elle entendait. S'immiscer dans la vie d'un homme, comme ça, sans le moindre lien, sans la moindre obligation, et par-dessus tout, sans rien à y gagner sinon une vague satisfaction morale. Christelle l'admettait, l'idée du geste gratuit la mettait mal à l'aise, surtout avec les hommes. Quand, durant ses heures de travail, elle enfilait la panoplie de Kris et se rendait chez ses clients pour qu'ils se repaissent de son corps, elle le faisait uniquement pour de l'argent et rien d'autre. Et c'était sans doute de ce « rien d'autre » qu'elle parlerait à ces femmes, sans rien cacher de ses activités, quitte à être la seule prostituée à avoir jamais franchi le seuil de cette porte.

— Si cette histoire vous intéresse, je peux vous en faire le récit détaillé.

Ce jeudi soir-là, il n'y aurait de place que pour un seul témoignage. Christelle, Pauline et les autres l'encouragèrent d'un simple silence.

DU MÊME AUTEUR

Aux Éditions Gallimard

LA MALDONNE DES SLEEPINGS, *roman* (Folio Policier, n° 3).

TROIS CARRÉS ROUGES SUR FOND NOIR, *roman* (Folio Policier, n° 49).

LA COMMEDIA DES RATÉS, *roman* (Folio Policier, n° 12, 1 CD en Écoutez Lire).

SAGA, *roman* (Folio, n° 3179). Grand Prix des lectrices de *Elle* 1998.

TOUT À L'EGO, *nouvelles* (Folio, n° 3469) repris en partie dans *La boîte noire et autres nouvelles* (Folio 2 €, n° 3619) et en album, avec des illustrations de Jacques Ferrandez, dans *La boîte noire*, Futuropolis.

UN CONTRAT. Un western psychanalytique en deux actes et un épilogue, coll. Le Manteau d'Arlequin.

QUELQU'UN D'AUTRE, *roman* (Folio, n° 3874). Grand Prix RTL-*Lire*.

QUATRE ROMANS NOIRS : *La maldonne des sleepings — Les Morsures de l'aube — Trois carrés rouges sur fond noir — La commedia des ratés* (Folio Policier, n° 340).

MALAVITA, *roman* (Folio, n° 4283).

MALAVITA ENCORE, *roman* (Folio, n° 4965).

SAGA. PIÈCE EN SEPT TABLEAUX, coll. Le Manteau d'Arlequin.

LE SERRURIER VOLANT, *illustrations de Jacques Tardi* (Folio, n° 4748).

HOMO ERECTUS, *roman* (Folio, n° 5475).

Aux Éditions Rivages

LES MORSURES DE L'AUBE, *roman* (Rivages/Noir, n° 143).

LA MACHINE À BROYER LES PETITES FILLES, *nouvelles* (Rivages/Noir, n° 169).

COLLECTION FOLIO

Composition Cmb Graphic
Impression Maury-Imprimeur
45330 Malesherbes
le 9 septembre 2012.
Dépôt légal : septembre 2012.
Numéro d'imprimeur : 175744.

ISBN 978-2-07-044827-2. / Imprimé en France.